LE LIVRE TIBÉTAIN DES MORTS

« Spiritualités vivantes »
SÉRIE BOUDDHISME

Collection « Spiritualités vivantes »
fondée par Jean Herbert

Nouvelles séries dirigées par
Marc de Smedt

Bardo-Thödol

Le Livre tibétain des Morts

Préface de
LAMA ANAGARIKA GOVINDA

Présenté par
EVA K. DARGYAY

en collaboration avec
GESCHE LOBSANG DARGYAY

Traduit de l'allemand par
VALDO SECRETAN

Revu et corrigé sur le texte tibétain
sous la direction de Lama Teunzang
au monastère de Karma Migyur Ling
Saint-Marcellin

Albin Michel

22, rue Huyghens, 75014 Paris

ISBN : 2-226-01286-9
ISSN : 0755-1746

Préface

Acarya, Arya Maitreya Mandala

Il y a plus d'un demi-siècle, le Lama Kazi Dawa Samdup fit une traduction du Bardo-Thödol que le Dr Evans-Wentz rédigea et publia sous le titre de « Livre des morts tibétain ». Il s'agissait à cette époque d'une réalisation importante, du fait que l'on ne connaissait que très peu le bouddhisme tibétain, au point même que certains savants renommés mirent en doute l'authenticité du texte, présumant que Evans-Wentz avait été victime d'une tromperie, ayant eu dans les mains un manuscrit falsifié. On omit de voir en même temps que la falsification d'un tel manuscrit en tibétain classique ne pouvait être que de la main d'un savant de haut rang et qu'il n'était guère plausible, en ce cas, d'imputer une telle intention à celui qui s'était chargé d'un pareil travail. En effet, livrer au monde un tel travail sous son propre nom eût été plus simple que de le signer de celui de Padmasambhava. Ceci n'est qu'un exemple du scepticisme de cette époque à l'égard du Tibet et de la littérature tibétaine, qui étaient inconnus dans la plupart des cercles.

Entre-temps, le Bardo-Thödol devint une des œuvres

les plus célèbres de la littérature internationale. A ce titre, il ne mérite pas seulement la plus grande considération des philologues, notamment des tibétologues, mais également celle des psychologues qui firent d'importantes découvertes grâce à la connaissance du Bardo-Thödol. C. G. Jung, par exemple, écrivit des commentaires significatifs à ce sujet. De ce fait, le Bardo-Thödol est passé au centre de la pensée moderne et de la recherche scientifique. Nous commençons à considérer cette œuvre, non seulement comme un document important d'une spéculation religieuse ou d'une pensée mythologique, mais comme le fondement d'une connaissance psychologique qui appartient dès lors à l'humanité dans sa totalité, et n'est plus le bien propre d'une religion ou d'une culture particulière. Nous devons réviser notre jugement sur ce que nous tenions pour le produit d'un folklore primitif. De même, nous devons reconsidérer ce que nous prenions pour le progrès d'une civilisation. Il est possible que les Tibétains soient restés en arrière dans le domaine du développement technique mais ils sont d'autant plus avancés dans le domaine de la psychologie, et surtout dans les techniques de méditation. Il suffit de lire des œuvres comme le Lam-rim-chen-po *de Tsonkapa ou le* mkasgrub-rjè, *le* Fundamentals of the Buddhist Tantras *(r Gyud-sde-spihi-rnam-par-gzag-par-brjod) pour être émerveillé par le développement extraordinairement raffiné de la psychologie dans la scolastique tibétaine. Aujourd'hui seulement nous commençons à comprendre ces idées très avancées grâce à la nouvelle psychologie des profondeurs qui, pour la première fois, a osé dépasser les frontières de notre conscience éveillée pour s'aventurer dans les couches profondes de la psyché humaine.*

La psychologie moderne découvrait ainsi les structures universelles du conscient profond et leur conditionnement par les archétypes. Ceux-ci ne jouent pas seulement un rôle déterminant dans le conscient humain. Nous savons maintenant que la vérité des dieux et des déesses consiste précisément en ces archétypes, qui sont rejetés par la pensée de l'homme occidental d'aujourd'hui ainsi que par tant de générations précédentes. Cette perspective nous fait donc voir que ce qui nous paraissait simplement la symbolique mythique d'une culture particulière est, en réalité, d'une signification universelle, et contient une vérité pour l'humanité aussi bien présente que future. Pour cette raison, nous considérons les enseignements du Bardo-Thödol comme une œuvre précieuse de la littérature universelle, tels la Bible, le Coran, les Upanishads, le Yi-King, le Tao-te-king, ainsi que les drames de Shakespeare, de Goethe, la Divine Comédie de Dante, et les grandes œuvres de la Renaissance.

Plus nous acquerrons une compréhension approfondie, plus se présenteront de traductions et d'interprétations, plus nous aurons à notre disposition de versions différentes, et mieux nous découvrirons la vérité contenue dans chacun des écrits ésotériques du passé. Evans-Wentz écrivait il y a plus d'un demi-siècle, dans son introduction au Bardo-Thödol : « Les textes tibétains tantriques sont particulièrement difficiles à rendre en anglais ; à cause de leur forme abrégée, il devient parfois nécessaire de faire l'interpolation de mots ou de phrases. Dans les années à venir, comme cela s'est produit pour les premières traductions de la Bible, cette version pourra être sujette à révision. » La traduction littérale d'un ouvrage aussi*

* Je fus chargé de cette révision lorsque après la mort du Lama Dawa Samdup, le Dr Evans-Wentz m'appela comme conseiller tibétain. La nouvelle édition du *Livre tibétain des morts,* revue et corrigée par ma main, parut il y a quelques années à Olten, aux éditions Walter.

abstrus dans sa vraie signification, et écrit en langue symbolique, est difficile, surtout si elle est tentée par des Européens qui, bien souvent, ont de la peine à dépasser leur mentalité occidentale, étant chrétiens d'abord et savants ensuite. Ils peuvent s'égarer, comme c'est le cas bien souvent dans les traductions des védas qu'ils font du sanskrit. Même pour un Tibétain, s'il n'est pas Lama instruit dans le tantrisme, le Bardo-Thödol est un livre quasi hermétique.

Par bonheur, la traductrice de ce présent ouvrage n'est pas seulement une spécialiste du bouddhisme tibétain et privat-docent de tibétologie à l'université de Munich, elle est aussi profondément liée à la pratique de la tradition tibétaine. Son collaborateur, formé par le Dalaï-Lama, est un remarquable Lama, d'origine tibétaine, également lecteur pour le tibétain à la célèbre université de Vienne. Je crois donc que nous pouvons être guidés en toute confiance par ce couple de chercheurs, d'autant plus qu'il s'agit de documents de la tradition Gelugpa qui ne s'écarte pour ainsi dire pas des Nyingmapa et Kargyüpa. Cette tradition transmet fidèlement l'essentiel de ces textes, depuis près de mille ans.

D'autre part, il faut mentionner que la tibétologie a fait d'énormes progrès dans les cinquante dernières années ; si bien qu'aujourd'hui nous disposons de moyens de recherche qui n'existaient pas encore du temps d'Evans-Wentz. Lui-même serait le premier à saluer les nouvelles traductions et recherches, car tout orgueil personnel lui était étranger. Son seul désir était de transmettre fidèlement le bouddhisme tibétain où se reflète le Dharma du Bouddha. Pour être en accord avec son désir, nous devons décortiquer les pensées conductrices de ce livre qui ne concerne pas seulement les Tibétains mais le monde entier.

Les enseignements du Bardo-Thödol sont attribués au grand apôtre bouddhiste **Padmasambhava.** *Au milieu du* VIIIe *siècle de notre ère, sur l'invitation du Roi Ti-song-de-tsen, il apporta le bouddhisme au Tibet et fonda le premier monastère (samye). Sa personnalité exceptionnelle fit une si profonde impression sur ses contemporains qu'aujourd'hui encore, après douze siècles, le souvenir de sa vie et de ses actes est encore vivant dans la mémoire du peuple tibétain. D'après tout ce que nous savons de lui, c'était un homme qui transmettait la Connaissance de façon pratique, donnant un enseignement inhabituel ; il était en même temps doué de forces psychiques jaillissant d'une profonde spiritualité. Il n'aurait pu sans cela réussir en si peu d'années à soumettre l'hostile prêtrise d'un pays barbare au faîte de sa puissance, et à laquelle la Chine était assujettie en ces temps-là. Les difficultés qu'il rencontra dans sa tâche, malgré la sympathie du Roi et de la cour, nous rappellent celles du grand sage et saint Shantarakshita, qui fut appelé tout d'abord au Tibet et dut très rapidement quitter le pays, ne pouvant y revenir qu'après la pacification par Padmasambhava.*

Si Shantarakshita voulut apporter le bouddhisme au peuple tibétain sans prendre en considération sa mentalité et ses traditions, Padmasambhava, lui, se montra plus diplomate, car il était aussi fin psychologue que grand sage. Il ne condamna nullement l'ancienne religion des Tibétains mais respecta les « genii loci », en les incluant dans le cercle des divinités, pour autant que le Dharma fût respecté et pratiqué. Il agissait ici comme le Bouddha, qui ne combattit jamais les divinités de la tradition védiste mais montra combien le bouddhisme les englobait, la notion du karma ayant totalement anéanti la mauvaise influence qu'elles auraient pu avoir sur l'âme du peuple tibétain.

Les vers de Dédicace, au commencement de l'ouvrage, nous indiquent que les idées essentielles et peut-être même une version primitive du Bardo-Thödol, comme elle nous est conservée dans la partie métrique de l'œuvre, sont à attribuer à Padmasambhava. Ces vers nous permettent d'identifier l'auteur. Ils nous présentent en tout cas les fondements spirituels sur lesquels l'œuvre repose.

Oh ! Amitabha, lumière infinie du Corps de Vacuité
Oh ! Apparitions paisibles et courroucées
*[Jinas et Boddhisattvas] (Lha)**
Oh ! Ordre du Lotus, Corps de Jouissance.
Oh ! Padmasambhava, sauveur de tous les êtres, incarnation terrestre (Nirmanakaya)

Vénération à vous les Trois Corps de Bouddha.

Ces vers font appel à la connaissance des mandalas, à la symbolique des images et surtout à l'enseignement des « Trois Corps » [trikaya] qui concerne la nature des réalisations spirituelles d'un Bouddha. Nous retrouvons la représentation de ces « Trois Corps de Bouddha » dans le Mahayana-Shrad-dhotpada-Shastra. *Ces notions sont*

* « Lha » en tibétain ne peut jamais être remplacé par le concept dieu. L'appellation de « dieu », pour les Bouddhas, est grotesque et induit en erreur. Les dieux appartiennent également au cycle des existences, tandis que seul un Bouddha a atteint la parfaite libération. Voici les différentes significations du mot « Lha » selon le contexte :
1° Habitant d'un degré d'existence plus élevé que celui des hommes. Correspond au Devas de la religion indoue et aux hiérarchies célestes des anges de la religion chrétienne ;
2° Esprit lié à la terre ; démons et génies de certains lieux et de certains éléments ;
3° Formes d'apparition des réalisations spirituelles telles les Dhyani Bouddhas et les Boddhisattvas.

fondamentales pour la compréhension du Bardo-Thödol. L'explication de ces vers d'introduction est donc la clef du Bardo-Thödol. La nature de notre être profond n'est pas différente de celle d'un Bouddha. La différence tient au fait qu'un Bouddha est conscient de cette nature tandis que l'homme attaché à la terre ne l'est pas à cause de l'illusion de l'égo, du moi. Cette nature profonde de l'être s'appelle ***sunhyata,*** *pure potentialité, pure vacuité du « non encore formé » que présuppose toute forme ; ce sera pour la conscience de l'esprit illuminé, le Dharma, la plus haute vérité, la loi de vertu immanente. Elle représente l'état spirituel d'un Bouddha. Le* ***Dharma Kaya**** *ou Corps de Vacuité, Corps du Dharma en Soi, est le plus haut principe de la Bouddhéité.*

Le ***Sambhogakaya*****, *le Corps de Jouissance spirituelle bienheureuse, est le fruit du Dharmakaya au niveau de la vision intuitive. Ici l'indicible devient vision créatrice, forme symbolique spirituelle, expérience de félicité bienheureuse. C'est l'héritage que nous ont laissé par leur action dans le monde, les âmes ayant atteint l'illumination. Elles-mêmes furent l'incarnation visible de cette expérience que connaît tout homme rempli d'un tel esprit et dont lentement la forme corporelle se métamorphose à l'image de la vie intérieure. Selon la conception bouddhi-*

* N.d.t. : voir : *Enseignements bouddhiques tibétains,* par Kalou Rimpoché. Éditions Kagyu-Dzong, 1975, page 65.

« Dharmakaya, littéralement le corps du Dharma. C'est-à-dire le corps informel et omniprésent des Bouddhas. Il embrasse et pénètre tout, est dépourvu de toute caractéristique limitative, de toute détermination, il transcende toutes les catégories émanant de l'esprit. On peut dire que c'est le corps de la vacuité. »

** N.d.t. : *ibid.*, page 72.

« Sambhogakaya, corps de jouissance des Bouddhas, ainsi appelé car il jouit de tous les attributs et de toutes les qualités formelles et informelles. »

que, le corps est ainsi une conscience devenue visible. L'illumination intérieure transforme donc le corps visible en « Corps de Métamorphose », appelé **Nirmanakaya,** *qui est la description du corps de tout être humain passé par la voie d'une métamorphose spirituelle.*

Notre vers signifie donc que Padmasambhava est le maître et le protecteur de tous ceux qui se confient à lui et le vénèrent dans ces Trois Corps de Bouddha, ou principe de l'ordre du Lotus, à savoir :

— *sur le plan de la loi universelle de Dharmakaya en tant que lumière illimitée ou Amitabha ;*

— *et sur le plan de l'apparition corporelle (Nirmanakaya) dans sa forme humaine qui n'est autre que l'incarnation des formes précitées.*

Ce n'est donc pas la personnalité historique qui est vénérée sous sa forme humaine mais bien la forme du principe intérieur, impérissable, qui s'exprime en elle.

Comme l'a justement fait remarquer Kern,* **l'objet du culte religieux,** *le Bouddha, ne fut jamais un être humain pour les bouddhistes. Le Bouddha n'était également pas un dieu, ainsi qu'il l'a fait lui-même remarquer expressément dans l'un de ses discours. Il était l'Illuminé et, de ce fait, plus qu'un dieu qui, pour accomplir son rachat, doit reprendre forme dans une vie humaine, car la vie humaine est la vie de la décision. Kern poursuit : « La figure historique du maître Sakyamuni est appelée à tort Bouddha ou Tathagata. Car l'objet du culte n'est pas la*

* H. KERN, « Manuel de bouddhisme hindou », dans *Grundriss der indoarischen Philologie und Altertumskunde,* Strasbourg, 1896.

divinisation de l'homme Sakyamuni ». C'est ce qui le dépasse, au-delà de la forme d'apparition qu'il est une fois ; ce qui le relie à tous les Bouddhas qui l'avaient précédé et qui lui succédèrent. La bodhicitta, la conscience de l'éveil, est notamment cet esprit suprapersonnel qui embrasse tout et se trouve à l'état potentiel dans chaque être vivant.

Aussi longtemps que cette conscience ne peut être vécue ou réalisée dans sa totalité (ce que ne réalise que le Bouddha), nous devons nous contenter des réflexes de la vision intérieure où les principes et les qualités de l'illumination se trouvent séparés comme les rayons du soleil par un prisme.

Les formes des symboles de ces visions ne sont pas des créations arbitraires mais, pour ainsi dire, les traces lumineuses laissées par l'expérience millénaire de la spiritualité dans l'âme humaine : ce sont les corps lumineux de tous les esprits de l'éveil qui nous ont précédés sur cette terre, les corps créés par leurs mérites, corps de récompense de tous les Bouddhas, appelé également **Sambhogakaya,** *nouveau corps que nous élaborons par notre état de vénération.*

Ainsi les Jinas et Boddhisattvas qui apparaissent dans la vision profonde, sont chacun un certain aspect de l'illumination (pensée de l'éveil) et donc également un aspect latent de chaque conscience de l'éveil. Pour préserver l'esprit d'une dispersion arbitraire, les maîtres des différentes écoles proposent des dessins géométriques concentriques appelés mandalas. Ce sont des représentations de l'esprit où sont fixées les positions et relations réciproques des différents symboles et images nés de la vision profonde. Cette description est appelée « lotus du quintuple épanouissement de la vision profonde ».

Sans développer ici l'étude des mandalas, contentons-

nous d'indiquer que les Jinas ou Vainqueurs sur l'ignorance, les Boddhisattvas et les autres figures qui les accompagnent (réunis en tibétain sous l'expression « Lha ») sont répartis en cinq épanouissements :

L'épanouissement du ***Vajra***
L'épanouissement du ***Ratna***
L'épanouissement de ***Padma***
L'épanouissement du ***Karma****, dont les symboles représentent la circonférence du mandala,*

tandis que le centre est l'épanouissement du ***Bouddha****, la réunification de tous ces principes dont le symbole est représenté par la roue de la loi du* ***Dharma-cakra.***

Le Vajra *(Le Sceptre de diamant, traduit toujours à tort par l'image de la foudre, qui serait valable cependant pour l'hindouisme) signifie l'indestructibilité, l'inébranlabilité de la conscience de l'éveil, semblable à la grande vacuité, Sunhyata, et personnifiée par le Dhyani-Bouddha Aksobhya.*

Le Ratna *est le don des Trois Rares et Sublimes* par lesquels le Bouddha donne sa propre personne, sa doctrine, et sa communauté. Il est en ce cas personnifié en Ratnasambhava et représenté par le geste du don.*

*Le Lotus (****Padma****) ou développement de la méditation, s'exprime par Amitabha, représenté dans la position de la méditation (dhyana-mudra).*

Le double-vajra ou ***Karma*** *signifie dans ce cas la*

* N.d.t. : en sanskrit **Triratna** = Trois Joyaux, en tibétain **Keunchosoum** = Trois Rares et Sublimes.

réalisation du savoir par la compassion et le constant amour du prochain. Il est représenté par Amoghasiddhi dans le geste de « l'Impavidité » (abhaya-mudra). Car la compassion (Karuna), lorsqu'elle jaillit d'un amour spontané du prochain, supprime les effets consécutifs du karma (Karma-vipaka). Le karma est ici considéré comme action pure, non comme une suite d'actions.

*La roue de la loi (**Dharma-cakra**) représente la présence potentielle des quatre qualités précédentes, symbolisées par Vairocana qui est l'épanouissement du Bouddha, au centre de la sphère du Dharma (dharmadhatu).*

Chacune des quatre qualités précédentes peut être développée à des niveaux différents. En tant que potentialité au niveau des lois universelles. En tant qu'idée créatrice au niveau de l'expérience spirituelle. En tant que matérialisation ou incarnation de l'idée, au niveau de l'apparition corporelle.

Lorsque Padmasambhava est considéré comme incarnation de l'épanouissement du lotus, « né du lotus » comme dit son nom, cela signifie qu'il devient un avec l'idée et les qualités d'Amitabha. L'exercice de cette méditation du mandala d'Amitabha conduit à l'accomplissement intérieur.

Ces enseignements d'origine proprement suprahumaine n'étaient pas que la transmission de théories philosophiques. Ils reposaient sur des expériences d'ordre méditatif, Padmasambhava voulant laisser au monde, non un nouveau système, mais la voie de l'expérience individuelle, la réalisation du but, qui sont possibles dans chaque vie humaine dès maintenant et non seulement dans un lointain avenir.

Car seuls ceux qui sont prêts à gravir le chemin proposé,

en mettant en pratique les commandements, peuvent entrevoir les remarques, les indications, les symboles et les visions décrites dans le Bardo-Thödol. Tandis que ceux qui mettent le nez dans les secrets de cet ouvrage par pure curiosité, ne verront que croître leur doute et leur incertitude, ou ne feront qu'ajouter quelque nouvelle pièce à leur collection de curiosités exotiques !

Le Bardo-Thödol est devenu célèbre sous le titre de « Livre des morts tibétain », un titre très impressionnant, surtout par son analogie avec le « Livre des morts égyptiens ». Cependant, comme nous allons le montrer, ce titre de « Livre des morts tibétain » ne correspond pas vraiment au contenu de l'ouvrage.

Rien ne peut davantage induire en erreur que de comparer ces deux livres. Et C. G. Jung, dans son commentaire de la traduction allemande, distingue parfaitement les deux ouvrages lorsqu'il dit : « ***sans comparaison*** *aucune avec le « Livre des morts égyptiens », duquel on ne peut que dire trop ou trop peu, le Bardo-Thödol contient une* ***philosophie compréhensive et humaine qui s'adresse aux hommes et non aux dieux*** *ou à des primitifs. Sa philosophie est la quintessence de la psychologie critique bouddhique et, en tant que telle, on peut dire qu'elle est une réflexion extrême ».*

Dans le titre du Bardo-Thödol, le mot de mort n'apparaît nullement. Ce mot dévie totalement le sens de l'œuvre qui réside dans l'idée de ***libération****, c'est-à-dire libération des illusions de notre conscience égocentrique qui oscille perpétuellement entre naissance et mort, être et ne pas être, espoir et doute, sans parvenir à l'éveil, à la paix du nirvana, cet état stable, loin des illusions du samsara et des états intermédiaires.*

Accoler « bardo » et « morts » serait un retour aux

représentations du monde les plus primitives. Le mot « bardo » contient une signification infiniment plus large et ne concerne le concept de la mort que dans un cas particulier.

Pour qui met sa confiance dans la métaphysique bouddhique, il est clair que naissance et mort ne sont pas les phénomènes uniques de la vie et de la mort, mais qu'ils interviennent en nous d'une manière ininterrompue. A chaque instant, quelque chose meurt en nous et quelque chose vient à naître. Les différents Bardos ne sont autres que les différents états de conscience de notre vie : l'état de la conscience éveillée, de la conscience de rêve, de la conscience d'agonie, de la conscience de mort et l'état de la conscience de renaissance.

Tout ceci est clairement décrit dans les vers racines des Six Bardos (Bar-do-rnam drug-rtsa tsig) qui constituent le noyau originel de l'œuvre. Cela prouve que nous avons affaire ici à la vérité de la vie, et non pas seulement à une instruction concernant la mort, ou à une messe des morts, ainsi que l'œuvre ultérieurement dégradée le ferait croire.

***Ce n'est pas un guide des morts mais un guide de tous ceux qui veulent dépasser la mort, en métamorphosant son processus en un acte de libération.** Car nous passons, en mourant, par les mêmes étapes que celles que nous traversons dans les stades progressifs de la méditation. Plutarque déjà disait : « A l'instant de la mort, l'âme accède aux mêmes mystères que ceux des grands initiés ».*

Par la coupure automatique de l'enveloppe corporelle et de toutes les volitions et empêchements de la conscience superficielle, la mort nous donne visiblement une occasion exceptionnelle de nous libérer de l'emprise de nos instincts obscurs, et nous permet d'apercevoir la lumière libératrice, ne serait-ce qu'un instant. Celui qui peut rester attaché à cet instant et se tenir à la hauteur de cette connaissance, aura part à cette libération. Par contre, la chute de celui qui ne peut rester à ce niveau entraînera un retour plus ou moins difficile dans le cercle des naissances.

Seuls font face à l'impétuosité de cet instant, ceux qui s'y sont préparés au cours de leur vie. Voilà pourquoi l'initiation des grands mystères de l'antiquité et des cultures plus anciennes encore consistait en une mort symbolique de l'initié. Padmasambhava en fit également usage, ainsi que nous le constatons dans sa mise en garde du dernier vers racine où nous voyons que, dans l'idée de l'approche de la mort, il ne s'agit pas de vouloir repousser les intérêts insignifiants du désir de vivre, mais bien de nous consacrer au Dharma aussi longtemps que la vie nous le permettra.

A cette fin, il est utile d'inclure la mort dans la vie journalière, non comme un dégoût de vivre, mais comme partie inséparable et nécessaire de la vie. Pour pénétrer dans cette sphère d'expériences, il ne s'agit pas de faire des considérations morbides (qui appartiendraient à un tout autre monde et serviraient de toutes autres fins) mais de descendre au fond du noyau de l'être où nous rencontrons la vie et la mort indissolublement liées.

LAMA ANAGARIKA GOVINDA

Présentation

L'expérience de la mort dans les traditions mythiques

Dans presque toutes les cultures de l'humanité, la mort, expérience horrible et terrifiante, inspire la réflexion sur le sens de la vie, sur les causes qui mènent à cette épreuve et l'action contraignante qui la rend inévitable. On essaye, depuis le début de l'humanité, de donner un sens à l'horreur et d'insuffler l'insaisissable à des images mythiques.

Nous ne connaissons pas de culture qui n'ait tenté de résoudre l'énigme de la mort. Toutes ces cultures nous transmettent essentiellement la même image[1].

Au commencement, lorsque l'homme était encore totalement un, inséparable de l'être divin, il ne connaissait pas la mort. Il n'eut à la subir qu'après être tombé de l'ordre divin céleste, après s'en être séparé. L'état premier de l'homme était paradisiaque. Il vivait dans le jardin d'Éden, ne connaissait aucune envie, aucune haine, était un avec tous les autres êtres vivants et demeurait bienheureux dans la contemplation de l'être véritable. Les cultures plus anciennes voient l'état originel de l'homme d'une façon encore plus concrète :

les fruits sont à sa disposition en abondance, il lui suffit de les cueillir. L'hostilité et les combats lui sont inconnus. Mais tout paradisiaque que soit cet état originel de l'homme, il porte cependant la marque de l'immobilité et de la permanence, ne contenant aucune créativité, aucune liberté. Ainsi la mort apparaît dans son sens profond, comme une conséquence nécessaire à l'absence de flexibilité de l'état originel paradisiaque. Pour pouvoir se développer, l'homme doit mourir, comme le feront tous les saints, les mystiques, les chamanistes et les maîtres spirituels. La mort a la tête de Janus ; elle regarde non seulement à la fois le monde et l'au-delà, mais elle est aussi le seuil où souffrance et joie, immobilité et mouvement se confondent.

Dès les temps les plus reculés, la question de la mort a pris une place prépondérante dans la pensée humaine. Notre époque ne peut éviter la question de la mort qui nous assaille quotidiennement. Chaque soir elle frappe nos consciences par le truchement des antennes de télévision. Jamais une époque n'a ressenti la mort de façon aussi unidimensionnelle que la nôtre. La mort n'est plus, en général, que la fin absurde d'une vie dénuée de sens. La mort n'est plus que le sombre faucheur qui nous emporte. Lorsque nous avons commencé, en Occident, à dépouiller la mort de la signification que lui donnaient la religion et les mythes, la profanation totale de la vie humaine ne fut plus que l'affaire de quelques décennies. Nous ne pouvons plus donner de signification à la mort, en laquelle nous ne voyons plus que l'arrêt de certaines fonctions organiques. La mort est devenue un état physiologique. Mais cette idée nous satisfait si peu que nous nous évertuons à ne plus regarder la mort en face. Nous enfermons les malades et les mourants dans des chambres nues, envahies d'appareils, et surtout à l'écart de toute présence humaine. Nous ne voulons plus rien avoir à faire avec la mort. Nous ne voulons plus mettre le mort en bière et le porter en terre. Nous voulons ôter la mort de notre chemin et tout simplement l'oublier.

L'interprétation physiologique de la mort, telle qu'elle est admise aujourd'hui en Occident, ne nous permet pas de comprendre cet ouvrage devenu célèbre sous le nom du « Livre tibétain des Morts ». Certaines ouvertures commencent à se faire cependant en Occident, qui permettent d'accéder à une meilleure compréhension de la mort. Je voudrais citer le livre du médecin américain Moody, concernant certains témoignages au sujet de la mort. Raymond A. Moody, dans *Life after Life* (New York 1975), interroge différents patients, considérés comme cliniquement morts, le cœur étant arrêté depuis plusieurs minutes et les courants cérébraux n'étant plus mesurables.

Ce médecin rassemble plus de 150 témoignages qui surprennent par la similitude des expériences et des perceptions : le mort entend le médecin déclarer qu'il est maintenant mort. Accompagné de bourdonnements bruyants, il lui semble traverser un sombre et étroit tunnel et se trouver alors hors de son corps, bien qu'il ait le sentiment d'avoir un corps léger, immatériel, d'où il peut observer tout ce qui se passe autour de son cadavre. Des êtres immatériels comme lui viennent à sa rencontre, resplendissants d'amour et d'harmonie, dans une éclatante lumière surnaturelle. Il revoit spontanément les actes de sa vie ; et malgré la mise en garde de l'Amour et de la Paix qui veulent le retenir, il se sent poussé à vouloir réintégrer son corps. Le sentiment de ne pas encore être « mûr » pour l'au-delà clôt cette expérience de la mort.

Ces témoignages de personnes très diverses provenant de toutes les couches de la société américaine du xxe siècle, concordent de façon surprenante avec le « Livre tibétain des Morts. » Chacun des phénomènes exposés s'y retrouve. Pour éclairer l'arrière-plan religieux du « Livre tibétain des Morts », j'aimerais inviter le lecteur à tourner son regard vers la pensée de nos ancêtres, afin de voir comment ils comprenaient la mort. L'archéologie ne peut nous aider à connaître ce que les cultures antiques pensaient de la mort. Les mythes, et chaque récit unique qui s'y rapporte, peuvent nous renseigner, comme s'ils transmettaient une histoire arrivée à une certaine époque. Nous retrouvons ces mythes, dans leur vérité et dans leurs mots, contenus dans les rêves éternels de l'humanité. Ces rêves ne sont pas des « bulles de savon », comme un proverbe déroutant cherche à nous le faire croire, mais contiennent la vision la plus profonde de notre être. Ce n'est pas en vain que la psychanalyse se sert des rêves pour soigner l'âme humaine.

Tous les mythes de l'humanité considèrent la mort comme un événement exceptionnel, ne faisant plus partie du naturel. La mort n'est pas une nécessité inhérente à la nature. Elle ne peut être comprise qu'en tant que perversion, ou inversion de la propre nature de l'homme. Ainsi quelques mythes comparent l'arrivée de la mort à un acte de désobéissance : l'homme refuse d'obéir à un commandement de Dieu. La plupart du temps, c'est la curiosité qui pousse l'homme à enfreindre le commandement. D'autres mythes voient la mort comme la conséquence d'un acte particulièrement odieux, commis par un être démoniaque. Nous retrouvons de tels mythes chez les anciens habitants d'Australie, d'Asie centrale, de Sibérie et d'Amérique du Nord.

D'autres mythes considèrent la mort davantage comme une erreur de la création : la boîte de Pandore s'ouvre par méprise, le messager devant annoncer aux hommes l'immortalité est tellement en retard que le second messager devant annoncer la mort arrive le premier auprès des hommes. Ces mythes se retrouvent particulièrement en Afrique.

Dans le « Livre tibétain des Morts », le Bardo-Thödol[2], la mort intervient tout d'abord en raison des actes dont le mourant s'est rendu responsable. On appelle **Karma** la somme de tous ces actes. Nous reparlerons plus loin de ces concepts. Pour l'instant, retenons que dans le Bardo-Thödol, la mort apparaît en fonction de nos propres actions. La mort ne survient donc pas par suite de la perversion et du désordre des dieux, mais procède de l'erreur de l'individu.

Au-delà de cette première argumentation, nous retrouvons dans le « noyau » du Bardo-Thödol ce qu'enseignent les mythes : à savoir que l'homme, en fait, est à l'abri dans le giron lumineux de la divinité, où il a part à la vérité en soi, en fonction de sa propre nature spirituelle. Le Bardo-Thödol ne prétend pas que l'homme a chuté de son paradis originel à cause d'un acte mythique de désobéissance ou de bêtise ; par contre, il développe tout un processus métaphysique de pensées, à savoir que la nature spirituelle de lumière de l'homme consiste en quelque chose d'insaisissable, de silencieux et de lumineux, qui s'élève dans le cœur de chacun lorsque s'éteignent toutes nos pensées, tous nos désirs, tous nos liens avec toutes sortes d'objets. C'est le pur esprit. Notre texte l'appelle « nu ». Cette nature spirituelle de lumière n'est pas quelque chose de saisissable ou de représentable, elle ne s'expérimente de façon immédiate qu'au profond de la méditation, après un long cheminement et un long développement spirituel. Cette nature spirituelle de lumière est la propre nature de l'être humain. Par elle, l'homme dans son essence est uni à tous les Bouddhas, un avec tous les êtres. Elle est appellée nature de Bouddha ou germe du Tathagata [3].

Le Paradis, que les mythes situent au commencement de l'histoire de l'humanité, est considéré dans le Bardo-Thödol comme la qualité première de l'être de l'homme, comme son fondement ontologique. Dans les mythes, l'homme perd le Paradis à cause de sa désobéissance et de sa bêtise. Dans notre texte, la nature spirituelle de lumière s'assombrit et chute lorsque l'homme, à cause de son insatiable besoin de rencontre, se met à errer dans le monde des objets et à déchirer l'être indivisible entre le moi et le toi. De sorte que ces objets n'existent que dans la fausse représentation de l'homme qui, finalement, est déçu dans son attente puisque ces objets ne sont ni éternels, ni même durables. Voilà la source de toute souffrance, correspondant à l'expulsion du Paradis dans les mythes. La souffrance n'est pas quelque chose qui vient de l'extérieur et s'empare de l'homme. Elle consiste dans cette insatiabilité de l'homme qui l'attache au monde des objets, dans cette attente qui ne pourra jamais être satisfaite. Dans le Bardo-Thödol, l'esprit de l'homme est le pivot de la reconquête du Paradis.

Considérons, tout d'abord, comment intervient, dans les mythes, la reconquête du Paradis. Elle se passe exactement en sens contraire de la perte du Paradis ; si la désobéissance a provoqué sa perte, l'obéissance permet de le retrouver. La perte du Paradis ayant entraîné la séparation du ciel et de la terre, le chamane, à l'aide d'une corde spirituelle de l'arbre du monde, ou à l'aide d'une échelle du ciel, remonte au Paradis, le monde des ancêtres[4].

Chacun ne peut évidemment pas regagner le monde du Paradis, le chemin n'étant ouvert qu'aux maîtres spirituels et aux héros. Comme les ancêtres, qui parcouraient le Paradis avant la chute, y sont encore, ce lieu est par excellence celui des ancêtres. Depuis lors, n'y pénètre que celui qui passe par l'expérience d'une transformation totale, à travers la mort ou à travers les états comparables de l'extase et de la méditation. A sa mort, l'antique aryen de l'Inde, grâce aux chants védiques, monte vers le monde lumineux de la lune où ses ancêtres l'accueillent dans l'immuabilité éternelle[5]. Ici les mythes indiquent déjà à quel point l'heure de la mort est d'une profonde signification. Elle seule peut opérer la métamorphose de l'homme, elle seule le replace dans son paradis originel.

Le Bardo-Thödol partage avec les mythes, cette conviction que l'heure de la mort est, de toute la vie, l'instant incomparable. Notre texte ne croit plus que la reconquête du Paradis originel soit possible grâce à des chants rituels, mais grâce à la vision des rapports essentiels du monde, grâce au dévoilement du véritable caractère de l'esprit humain.

Finalement, jetons encore un coup d'œil à l'un des attributs de ce Paradis retrouvé : il est plein de lumière éclatante, il rayonne, étincelle et éblouit. A l'instant même où la nature spirituelle de l'être humain se voit remplie de cette lumière, elle devient cette lumière elle-même. Cette conception est profondément répandue chez les gnostiques, les manichéens, dans l'ancienne Inde, dans le sud-est influencé par elle, et dans l'Asie centrale. Nous en trouvons également des documents chez les taoïstes et même en Amérique du Sud, dans les tribus indiennes. Les mythes nomment ce paradis originel « Lune » ou « Soleil ». Parfois, ce Paradis se situe aussi de l'autre côté de ce monde terrestre, dans une zone de lumière supraterrestre.

Nous trouvons le Paradis représenté par la lumière, non seulement dans les mythes, mais également dans les écrits mystiques des diverses cultures. Ils nous rapportent l'expérience d'une lumière apparaissant spontanément. Nous connaissons de nombreux témoignages selon lesquels le visage de certains hommes s'illumine à certaines occasions. Les masques en or déposés sur le visage des morts à Mycènes, par exemple, devaient représenter cette lumière du visage, puisque le mort, entré dans le règne de la lumière, est devenu lui-même l'éternel éclat de la lumière.

Dans le Bardo-Thödol, dès les premières pages, nous rencontrons cette lumière, la lumière fondamentale (chii eussel[6]) qui est la réalité même de la nature spirituelle. La nature spirituelle est autant partie intégrante du Bouddha que de la lumière. C'est pourquoi les Bouddhas apparaissent dans les couleurs spectrales de l'arc-en-ciel, et se confondent avec la lumière de la propre nature spirituelle, de sorte « qu'ils ne sont plus deux », comme dit notre texte. Cette représentation de l'esprit de lumière se trouve déjà dans les textes du Canon Pali par exemple dans *Aguttara-Nikaya*[7] où la pensée est appelée « lumineuse ». Il est ainsi toujours répété que la pensée purifiée de tout aveuglement est comparable à l'or pur. Dans les sutras du Mahayana, cette idée est développée : dans les *Lankavatarasutras*[8], tous les êtres établis dans la nature de Bouddha se définissent par la lumière. Dans les *Prajnaparamita*[9] se trouvent des passages où la non-pensée est lumière. De là se trouve directement le chemin conduisant aux représentations que nous retrouvons dans notre texte, à savoir que l'esprit dès qu'il demeure en lui-même, voit la lumière fondamentale. Parler de toute cette conception de la lumière nous entraînerait ici trop loin. Il s'agissait seulement d'indiquer que cette conception fondamentale du Bardo-Thödol ne doit pas être nécessairement rattachée à d'autres traditions spirituelles extérieures au bouddhisme.

Le texte du « Livre tibétain des Morts » est, à l'arrière-plan, tissé de mythes hindous et nous transmet, de ce fait, une série de représentations religieuses mythiques très importante. Les mythes de ce pays ont leur parallèle dans presque toutes les traditions culturelles, de sorte que ce « Livre des Morts » repose sur le solide fondement d'une vision mythique universelle. Il faut cependant insister encore sur le fait que ces mythes ne sont pas des histoires plus ou moins incompréhensibles mais la vision que l'homme a de lui-même, telle qu'il l'a comprise au cours des innombrables millénaires.

La métaphore mythique la plus frappante du Bardo-Thödol est sans doute le « tribunal de la mort » : Yama, le dieu de la mort, siège au tribunal au-dessus des morts. Deux génies, qui sont les deux parties de l'âme du mort, présentent sous forme de cailloux blancs et noirs, les actions du mort. Et, pour reconnaître le vrai caractère du mort, le dieu consulte un miroir.

Dans ces scènes de tribunal de la mort, apparaissent les expériences humaines qui avaient engendré la peur et l'angoisse. De nombreuses cultures anciennes nous font voir que les mondes des dieux et des esprits sont construits selon les mêmes rapports que ceux du monde terrestre. En Inde, le *Maitrayaniyopanisad,* dans le *Livre des lois* de Manus, parle du tribunal de la mort, comme en Occident *l'Odyssée* et, finalement, la littérature eschatologique judéo-chrétienne [10].

Cette scène du tribunal a une ressemblance avec le « Livre des Morts égyptiens » qui, cependant, a un tout autre but [11]. Si l'on compare cette scène du tribunal du Bardo-Thödol avec les autres scènes de ce même ouvrage, on constate qu'elle n'est pas construite systématiquement et qu'elle n'est pas entièrement développée mais qu'elle n'est que brièvement indiquée à titre d'exemple, tels les valets boiteux, le brouillard, le hurlement et les symboles de la peur existentielle du mort. Comme Poucha le montre dans son écrit, différents symboles sont appliqués pour la description de l'état post-mortem.

Le « Livre tibétain des Morts » se sert de ces représentations mythiques fondamentales. Le Bardo-Thödol utilise des images mythiques du dieu de la mort comme juge, ou les visions des états infernaux, par exemple, pour aider l'homme à approcher le plus possible de sa propre réalité : reconnais toutes tes perceptions, que tu prends pour des objets réels, comme des apparitions de ta propre réalité spirituelle. Les hommes auxquels s'adressait tout d'abord le Bardo-Thödol, pensaient et vivaient selon ces images mythiques, appliquées dans cet enseignement auquel l'homme fait appel, comme à sa vérité même, au moment de la mort. Nous devons nous garder de croire que le « Livre des Morts » est un mythe du fait qu'il contient des images et des représentations mythiques. Mais que peut être alors le « Livre des Morts » ? Avant d'essayer de répondre à cette question, j'aimerais dégager une autre « racine » qui donne au « Livre tibétain des Morts » la dimension de ses idées philosophiques et religieuses.

Le Bardo-Thödol et son monde spirituel

Le concept d'existence dans le bouddhisme

Dans les Pali-sutras nous sont conservées les conversations[12] où le Bouddha Sakyamuni qui, dans notre monde, fut le Bouddha, demande à ses élèves comment fut créé le monde vivant qui est le champ d'expérience des sens de l'être humain.

Le monde des sens est alors divisé en cinq constituants ou agrégats[13] :

— forme
— sensation
— perception-conception
— impulsions
— conscience.

Le Bouddha demande alors à ses moines :

— Que pensez-vous, moines, la forme est-elle éternelle ou périssable ?
— Périssable, ô Seigneur !
— Qu'est-ce qui est alors périssable, la souffrance ou la joie ?
— La souffrance, ô Seigneur !
— Ce qui est alors périssable, plein de souffrance et soumis à la transformation, peut-on en déduire que c'est à moi, que c'est moi, mon être même ?
— Non, Seigneur !

Ces questions et réponses s'appliquent également aux quatre autres agrégats, selon leurs caractéristiques.

Ainsi l'ensemble de l'expérience sensorielle est décrite comme périssable et, de cette manière, elle ne parvient à aucune réalité substantielle indépendante et impérissable.

Les philosophes bouddhistes ont essayé de saisir toujours plus intensément le phénomène de cette impermanence générale. Ils sont finalement parvenus à la conception que, non seulement les objets ont tous visiblement une fin, mais qu'ils ne subsistent pas un seul instant dans leur identité. L'image qui nous apparaît de l'objet, et qui ne subsiste que la durée de quelques journées ou de quelques années, se présente comme un film : dans des unités de temps infimes, l'objet transforme son existence fugitive. A une vitesse vertigineuse, impensable, où une phase d'existence suit l'autre, intervient chaque fois une légère transformation visible. Cet enseignement fut particulièrement transmis par l'école des Savastivadins qui se développa, dans tout le nord de l'Inde, dès les premiers siècles ap. J.-C.[14].

Si l'existence de chaque objet se dissout donc dans une succession de phases innombrables, il faut se demander ce qui arrive au mort dont l'impermanence est évidente pour chacun. Comme tous les systèmes de pensée, en nombre écrasant en Inde, le bouddhisme admet depuis toujours que la vie n'est pas limitée à une naissance. Les envies issues des diverses actions tendent à une décharge, comme des particules d'énergie, c'est-à-dire à une nouvelle objectivation, à une matérialisation, à la renaissance, l'existence humaine étant comme une sorte de chaîne de phases conduisant de la mort à une naissance nouvelle. Ce fut le thème de l'*Abhidharmakosa*[15], l'œuvre célèbre de Vasubandhu (IV-Ve siècle ap. J.-C.).

Il est dit dans son troisième chapitre : « Si l'on décrit

les agrégats simplement avec leurs noms mêmes, c'est qu'on ne nie pas leur existence. Mais doit-on alors accepter que les agrégats passent de ce monde dans l'autre ? Les agrégats disparaissent à chaque instant. Ils ne sont de ce fait pas capables de se mouvoir.

« Pourtant ils gagnent la matrice à travers le courant des états intermédiaires[16], influencés par le poids des actes passés. Comme pour la lumière, bien qu'elle disparaisse à chaque instant, le courant est cet instant capable de se rendre à un autre endroit. Les agrégats se comportent de la même manière. C'est pourquoi il n'est pas faux de parler de migration. Il est donc prouvé, bien que le soi n'existe pas, que le courant des agrégats, sous l'influence des actions commises aveuglément, rentre dans la matrice[17]. »

Ceci n'est qu'un bref extrait de toute l'argumentation qui se prolonge en de nombreuses pages. Vasubandhu tente de prouver l'assertion de l'existence d'un état intermédiaire par des citations des sutras. A diverses reprises, les sutras parlent d'un Arhat qui, après la mort, passe du dernier état intermédiaire au nirvana[18]. Vasubandhu et les écoles philosophiques bouddhiques, issues de son argumentation, voient ici l'affirmation d'un état intermédiaire dont bénéficient en principe tous les êtres vivants après leur mort. Il a existé également toute une série d'écoles qui ont refusé d'établir une telle conclusion à partir des passages de ces sutras en question. Ce sont, par exemple, les Theravadin, les Mahasamghikas, les Lokottaravadin, pour ne citer que les plus célèbres.

Le concept d'état intermédiaire apparaît également dans d'autres textes consacrés au Mahayana, par exemple dans le *Boddhisattvabhumi*[19], composé un peu avant le *Abhidharmakosa.* Il y est dit très clairement : « les morts entrent dans l'état intermédiaire ». Dans l'ouvrage *Vijnaptimatratasiddhi*[20], l'état intermédiaire est une donnée de la réalité. Seul y est encore discuté le passage des agrégats de l'état d'existence à l'état intermédiaire, particulièrement dans le cas d'une naissance nouvelle.

Le bouddhisme considère donc l'existence humaine comme la libération d'une suite ininterrompue de courtes phases insaisissables et qui sont soumises aux cinq agrégats de l'existence. Ces cinq agrégats composent l'ensemble de la nature corporelle et spirituelle de chaque existence individuelle. Mais, en aucune manière, il ne faut considérer ces constituants ou agrégats comme des objets saisissables. Ils sont bien davantage des catégories qui permettent à la pensée de mieux saisir les phases de l'existence. Et comme ces catégories se libèrent à la mort de leur ordonnance réciproque, l'erreur pourrait être commise de croire qu'elles sont interrompues dans leur durée. Mais, en réalité, seules les phases de l'agrégat de la forme sont interrompues, du moins dans le cas de la matière grossière. Surviennent instantanément des phases plus subtiles qui appartiennent également à l'agrégat de forme. Le Bardo-Thödol parle de la forme d'une cruche ou d'un corps spirituel[21] que possède le mort. Et puisque les quatre autres agrégats de sensation, perception-conception, impulsions et conscience, appartiennent tous au monde spirituel, leur continuité après la mort, dans la phase intermédiaire, ne pose aucun problème. L'existence individuelle, qu'elle soit vivante, morte à l'état intermédiaire ou née à nouveau, est constituée précisément par les phases de ces cinq agrégats. La conception d'un moi éternel, en tant que noyau invariable de la personnalité, n'a aucune place dans une telle représentation de l'existence humaine. Il n'y a pas lieu d'expliquer ici l'enseignement de la vacuité. Il s'agissait simplement de préciser que cette affirmation du « Livre tibétain des Morts » repose sur un principe essentiel de la philosophie bouddhique.

La doctrine du Karma

Le Bardo-Thödol répète inlassablement que les actes de l'homme, commis de son vivant, physiquement, en paroles ou en pensée, déterminent son destin dans l'état intermédiaire après la mort et la possibilité d'une naissance nouvelle. Tous les systèmes philosophiques hindous affirment unanimement que les actes, non seulement ont une conséquence immédiate, mais que leur « potentialité latente » se manifeste ultérieurement lors des circonstances appropriées où chaque situation est le résultat de sa propre cause. Cet enchaînement causal est appelé le karma. En tant que telle, la doctrine du karma est communément reconnue en Inde par tous les systèmes bouddhiques.

Une lecture superficielle du Bardo-Thödol pourrait laisser croire que l'enseignement de « la potentialité latente » des actions passées — le texte appelle cette potentialité « penchant » — comporte sa propre contradiction. En effet, le texte, à la fin de chaque paragraphe, répète que chacun peut être libéré du karma. Mais il est aussi ajouté une remarque rendant cette déclaration toute relative : il peut arriver que le rayonnement des actions passées ne soit pas suffisant et que le mort doive alors errer plus longuement dans l'état intermédiaire. Le mort ne peut donc être délivré de l'état intermédiaire que lorsque la potentialité latente de ses actions passées s'est clairement révélée et qu'elle lui permet la vision spirituelle nécessaire pour reconnaître toutes les apparitions comme émanations de sa propre nature spirituelle. Par contre, si ses actes passés ont renforcé en lui la tendance à l'aveuglement, c'est-à-dire l'envie, la haine et l'ignorance, toutes les apparitions n'engendreront en lui que la peur et l'angoisse, et il lui sera impossible de parvenir à la vue pénétrante *.

L'enseignement du Bardo-Thödol n'est donc pas contradictoire quant à la doctrine du karma. Ce texte veut simplement montrer clairement que chaque karma peut être neutralisé dans ses effets par la puissance de la vue pénétrante.

L'acte, en tant que cause de la multiplicité des phénomènes, n'est pas pris ici dans le sens d'un simple acte nu, mais c'est l'intention qui habite chaque acte et qui le déclenche, qui est prise en considération. Dans chaque acte, sont inclus une volonté, un désir, un « vouloir entrer en action » qui le précèdent ; et cette

* N.d.T. : Lhag mthon vipassiana est incluse dans la perfection de la sagesse.

Sagesse, en sanskrit : prajnâ paramita : sagesse allée au-delà.

Sagesse, en tibétain : çes-rab gyi phar rol tou Phyiû Pa : connaissance qui pénètre ou réalise la signification excellente ou ultime. La Vérité étant la vacuité.

Quant à la nature proprement dite de la sagesse, elle est ce qui examine et analyse. En bref, tout ce qui dans notre courant de conscience a pour fonction d'analyser, de distinguer ou d'examiner.

Vipassania lhag-mthon est une analyse discriminante correcte de l'objet. Traduit en allemand par Einsicht, est traduit généralement en français par « vue profonde » ou « vision supérieure » (Lhag) ou « vision remarquable » ou « vue pénétrante » qui est l'expression correspondant le mieux à l' « Einsicht » de Govinda. « Einsicht » : littéralement « vue à l'intérieur ».

D'autre part, la notion de vue correspond mieux à « l'état » de Bouddha que « vision », trop chargé d'une signification d'activité ou de passivité. La vue pénétrante procède de l'œil intérieur.

intention, précisément, contient la potentialité qui pousse l'acte à se manifester à nouveau.

Au cours des temps, la doctrine du karma s'est développée en un système qui englobe tous les aspects du calcul de l'activité humaine. Prenons comme modèle de pensée un parallélogramme de forces, pluridimensionnel ; il nous montre clairement que le résultat du karma n'est pas une somme de forces mais l'opposition de différentes forces qui, selon leurs composantes, donnent un résultat contenant en lui-même un nouvel équilibre de forces, dans une nouvelle direction.

Lorsque le mort est pris de peur et d'angoisse devant la nature des apparitions de l'état intermédiaire, il détermine la potentialité d'un nouveau karma qui le poussera à naître à nouveau. Mais s'il reconnaît que toutes ces apparitions ne sont que l'émanation de sa propre nature spirituelle, sa vue pénétrante sera libre de toute intention et, n'ayant aucune fausse énergie à devoir décharger dans une action, un instant après la mort, étant d'une clairvoyance extrême, il pourra atteindre la libération essentielle : libération de la souffrance du samsara, c'est-à-dire du cycle des existences, libération des illusions. Et, de ce fait, il sera devenu un Bouddha.

Le Lama a pour seul devoir de rappeler au mourant, au mort, les enseignements qu'il a entendus de son vivant et les expériences qu'il a faites. Le Lama remplit la fonction d'un avertisseur. Il n'est ni guérisseur, ni magicien, ni sauveur : le mourant, le mort, ne parvient que tout seul à la vue pénétrante. Cependant le Lama soutient les pensées du mort, comme un souffleur de théâtre, soufflant au mort quelles apparitions surgissent devant lui et comment il doit les comprendre. Il est évident que tous les avertissements du Lama sont vains et inutiles si le mort, de son vivant, ne s'est pas préparé à mettre sa confiance dans les thèmes du Bardo-Thödol. Le texte répète inlassablement qu'il est important d'étudier de son vivant, de « s'imprégner » et de s'exercer aux méditations qui doivent aider le mort à atteindre cette vue pénétrante, à ouvrir cet œil intérieur : le transfert de la conscience.

La transmission littéraire du Bardo-Thödol au Tibet

Il faut distinguer trois aspects de la transmission de la littérature religieuse :

1) l'œuvre littéraire telle qu'elle se présente à nous
2) la transmission des idées et des représentations religieuses qui forment le contenu de l'œuvre
3) la réalisation des idées et des enseignements transmis par le truchement de l'œuvre.

Comme pour la plupart des grandes œuvres littéraires d'Asie, les idées du Bardo-Thödol proviennent d'une époque beaucoup plus ancienne que la date où elles sont apparues sous leur forme littéraire. C'est-à-dire que plusieurs siècles avant l'époque du texte le plus ancien que nous puissions dater, un système d'enseignement oral transmettait tous les points essentiels du Bardo-Thödol. Cette affirmation, il est vrai, n'est pas scientifiquement prouvable. Mais elle relève d'une tradition locale que l'on retrouve d'ailleurs généralement à propos de toutes les œuvres hindoues et bouddhiques. Pour tout éclaircissement, on peut dire que les anciens manuscrits du Bardo-Thödol remontent au XIVe siècle. Jusqu'à cette époque nous disposons pour analyser le

Bardo-Thödol de moyens de recherches selon les méthodes européennes de littérature comparée. Mais pour pénétrer dans l'histoire plus ancienne de l'œuvre, il faut recourir à la tradition locale selon laquelle le Bardo-Thödol est un **gterma**-texte[22]. Littéralement un « **texte-trésor** ». Ces textes-trésor indiquent dans leur colophon que tel maître du bouddhisme tibétain a trouvé ce texte, tel jour de tel mois de telle année, dans une grotte, dans une fissure de rocher ou dans les murs d'un vieux temple. Celui qui découvre un texte-trésor est appelé Tertön[23], ce qui signifie littéralement « révélateur de trésors ». Et, selon la tradition locale, ce découvreur n'est pas l'auteur du texte qui, lui, remonte à Padmasambhava et à ses innombrables disciples. En Occident, ces affirmations sont généralement mises en question et le découvreur est supposé être le propre auteur, de sorte que ces textes, soi-disant découverts, sont évidemment considérés comme des falsifications.

Une étude rigoureuse de ces textes-trésor[24] et de la littérature tibétaine qui les concerne, a prouvé que le jugement sans appel des Occidentaux n'est pas justifié et que la tradition locale doit être comprise de manière spécifique et non à la lettre. Il existe un nombre incalculable de textes-trésor. Jusqu'à ce jour, l'Occident ne connaît que l'œuvre de Rintschen Terzö[25] qui contient des milliers de traités rassemblés en trente-six épais volumes. On connaît également quelques autres textes-trésor, tel le *Mani Kambum*[26]. Nous savons cependant qu'il existait au Tibet un nombre infiniment plus considérable de textes-trésor. Presque tous traitaient essentiellement de thèmes religieux ; les faits historiques y étaient à peine relatés. Ces textes-trésor se répartissent, d'une part en textes manuscrits trouvés dans leur cachette et, d'autre part, en fragments de manuscrits accompagnés de commentaires du découvreur et, finalement, de textes plusieurs fois cachés et plusieurs fois retrouvés. Ces indications proviennent des colophons des textes-trésor. Les commentaires n'étaient pas arbitrairement ajoutés au texte mais écrits sous la dictée d'une inspiration religieuse. C'est-à-dire que le découvreur se mettait à méditer intensément le thème du manuscrit découvert, en visualisant une divinité particulière. Après de longs efforts, il avait une vision où la divinité lui parlait et lui expliquait le texte. Il transcrivait alors ces éclaircissements, que la tradition approuvait par la suite et considérait en quelque sorte comme une partie authentique de l'écrit. Un maître de cet enseignement pouvait également apparaître et dicter un texte, sans qu'aucun manuscrit soit pour autant découvert dans une cachette quelconque. Le contenu spirituel d'une telle révélation est bien la verbalisation de la vision. Il manifeste la sagesse que révèle cette vision. Cette révélation devient l'œuvre, le texte-trésor, et provient ici encore d'une transmission religieuse identique, sans pour autant que celle-ci soit l'invention du découvreur. Il ne s'agit donc pas d'un auteur au sens habituel du terme car il ne considère pas le texte comme son œuvre, quoique au sens historique elle ne puisse être attribuée à une autre main.

La question se pose de savoir pourquoi et comment ce phénomène est devenu si caractéristique dans la transmission littéraire des anciennes écoles des Nyingmapa [27]. A cet effet, jetons un rapide coup d'œil sur les débuts du bouddhisme au Tibet [28]. Dès les premiers siècles après la naissance du Christ, on constate des rapprochements superficiels entre éléments de la religion bouddhique et de la culture tibétaine ; et ce n'est qu'au VIIIe siècle qu'apparaissent en fait les premières tentatives missionnaires à succès durable. De tous les pays voisins, des moines et des sages bouddhistes gagnèrent le Tibet au VIIIe siècle. Les missionnaires hindous et chinois furent les plus remarquables. Ces sages, qui voulaient transmettre l'enseignement éthique et philosophique du bouddhisme, trouvèrent à peine un écho dans ce peuple du Tibet dont tout l'intérêt consistait à vouloir apaiser les esprits et les démons innombrables habitant le sol, les rochers, les arbres, les lacs et les airs. La construction du premier couvent au Tibet, Samye (b sam-yas) suscita d'insurmontables difficultés. Sur le conseil d'un de ces maîtres philosophiques, le roi du Tibet invita Padmasambhava dans son pays.

La personne de **Padmasambhava** est un phénomène religieux très complexe qu'on ne peut comprendre selon les normes historiques occidentales. L'influence de sa personnalité religieuse n'est pas comparable à celle d'un roi qui mène les guerres, érige des monuments et laisse derrière lui des inscriptions. L'action d'une personnalité religieuse, d'un maître spirituel, n'est saisissable que dans son existence spirituelle. Nous n'avons donc pas à nous demander si Padmasambhava est une réalité historique. L'essentiel est l'expérience spirituelle transmise par Padmasambhava.

Revenons ici un instant au milieu spirituel dont était issu Padmasambhava. Sa vie, transmise par différents récits, n'est pas un document historique décrivant ses déplacements, ses rencontres et ses paroles ; elle est le témoignage d'une expérience religieuse en laquelle tout disciple fidèle de Padmasambhava doit retrouver la grandeur et la profondeur de l'action spirituelle de son maître. La réalité appelée en Occident l'immanence historique et terrestre est donc ici inapplicable puisque la doctrine s'adresse à la réalité spirituelle de l'homme.

Cette doctrine n'est pas à saisir avec l'œil du corps physique, elle ne se dévoile que dans les visions et les états de ravissement du yogi. De la vie terrestre et des actions de Padmasambhava, nous savons seulement qu'il a dirigé la construction du premier couvent tibétain. Peu après l'achèvement de cette construction (environ 775 ap. J.-C.) éclata un violent combat qui opposa les disciples des maîtres chinois aux disciples des maîtres indiens. Les deux partis s'affrontèrent dans une dispute mémorable où chacun dut prouver par argumentation lequel était le plus fidèle à l'enseignement du Bouddha. Les documents historiques et les événements consécutifs ne laissent aucun doute quant au vainqueur de la dispute. Les moines chinois poursuivis férocement furent chassés du pays. Comme l'avaient fait les Indiens, ils avaient traduit en tibétain les textes bouddhiques qu'ils avaient apportés avec eux ; et les disciples tibétains de ces moines chinois avaient commencé à rassembler ces nouveaux textes. Il était impossible de fuir avec toutes ces œuvres. Pour les protéger de la destruction, elles furent cachées dans des grottes, des failles de rochers, des temples ou d'autres lieux adéquats. L'enseignement de Padmasambhava apporté au Tibet avait quelques profonds liens avec le bouddhisme chinois. Srisimha, l'un des maîtres les plus importants de l'enseignement des Dsogtschen[29] était né en Chine. Les maîtres Dsogtschen furent appelés au Tibet par l'intermédiaire des maîtres indiens. Lorsque fut pourchassé tout ce qui était chinois, les maîtres indiens furent obligés de faire disparaître toutes les œuvres provenant des maîtres chinois. Ces œuvres survécurent dans des cachettes et furent donc ces textes-trésor. Ils ne furent retrouvés que trois ou quatre siècles plus tard, à savoir au XIe et XIIe siècle. Traduits, éclairés et commentés en tibétain, ces enseignements prirent place dans le cadre de la doctrine bouddhique qui s'était perpétuée. Entretemps, le climat spirituel avait complètement changé au Tibet. La lutte avec les moines chinois était oubliée depuis longtemps, l'intérêt pour les enseignements mystiques avait pris une grande importance, ils étaient devenus la tradition même du Tibet. L'époque du VIIe au IXe siècle est considérée comme la période la plus brillante de la spiritualité bouddhique tibétaine.

Rappelons encore avec insistance que les textes-trésor sont le fruit d'expériences purement spirituelles et qu'ils échappent complètement à l'analyse des méthodes positives. Dans le bouddhisme, la doctrine religieuse se transmet essentiellement par les maîtres. Ce contact humain immédiat est d'une grande importance. Le mot écrit n'a qu'une fonction d'aide et de soutien de la mémoire. Les textes s'adressent principalement à des auditeurs et non à des lecteurs. Le récitant du livre des morts exhorte toujours à nouveau le mourant : « Écoute avec toute ton attention. » **Si le lien personnel avec la tradition, c'est-à-dire avec le maître, vient à manquer, la compréhension du texte devient impossible.**

Après un épanouissement de trois siècles (du VIIe au IXe siècle), le bouddhisme fut durement persécuté par un usurpateur, le dernier roi de la dynastie des Yar-Lung, et les maîtres durent fuir le Tibet et cacher leurs textes. Mais la chaîne de transmission des enseignements ne fut pas rompue. L'argumentation est la suivante : les enseignements sont d'une sagesse qui procède de l'être parfaitement accompli, ils ne dépendent finalement pas d'une transmission d'ordre humain. A considérer les choses d'une façon superficielle, ces textes peuvent être oubliés dans une grotte, mais en réalité les enseignements qu'ils contiennent sont retournés au sein même de l'être purifié qui participe davantage de la sagesse fondamentale. Les textes parlent des Dakinis et des Gardiens de la Loi qui se transmettaient la garde du texte, jusqu'à ce que parmi les hommes apparaisse un nouveau maître capable de le recevoir, qui sera le découvreur du texte. Cet homme voit en vision le contenu du texte et souvent par miracle en trouve la cachette. En rêve, les Dakinis lui révèlent le sens caché de ces paroles difficiles. Ces inspirations lui permettent de composer le texte qui procède pour sa plus grande part d'une transmission religieuse vivante.

Tous les détails de la découverte des textes-trésor ne sont pas à prendre à la lettre, dans un sens profane. Il faut les considérer comme des signes et des symboles qui, sous cette forme hermétique, nous transmettent le noyau de cette expérience spirituelle et de cette inspiration.

Le « Livre tibétain des Morts » est l'un de ces textes-trésor. Il faudrait plus exactement l'appeler le **Bardo-Thödol.** Le colophon de ce texte nous indique que **Karmalingpa**[30] découvrit l'ouvrage sur le mont Gampodar[31].

Dans l'œuvre tibétaine *La Précieuse Chaîne de Lapislazuli, une Courte Histoire au sujet de l'Apparition des Textes-trésor, de ses découvreurs et des sidhas*[32] contenue dans le tome Ier de l'œuvre complète de Rintschen Terzö, l'histoire de Karmalingpa nous est contée.

« Le découvreur Karmalingpa était une incarnation de Lügjeltsän[33], le traducteur de Tschöro[34], fils aîné de Mahasiddha Njidasanggje[35]. Il est né pendant le 6e cycle sexagésimal (1326-1386) à Kjerdub[36] dans le haut pays de Dagpo[37]. Il mena la vie d'un tantriste, montrant infatigablement toutes les qualités spirituelles et intellectuelles d'un clairvoyant. A l'âge de quinze ans, il réalise une prophétie en dégageant du mont Gompodar[38], qui ressemble à un dieu de la danse, le *Traité de la Libération Spontanée par la Dévotion aux Divinités*[39] *Paisibles et Courroucées de l'Ordre du Lotus appartenant*[40] *au Seigneur de Compassion.* Le *Cycle de l'Ordre du Lotus des Paisibles et Courroucées* fut destiné à ses quatorze principaux élèves. Karmalingpa leur donna l'autorisation de le transmettre et de l'enseigner. Le *Traité de la Libération Spontanée par la Dévotion aux Divinités Paisibles et Courroucées* fut transmis à son fils Njidatschödsche[41]. Il l'enjoignait par contre à ne confier ce cycle-là qu'à une seule personne, et ceci pendant trois générations. Comme Karmalingpa ne trouva pas de compagne spirituelle et que les bons présages ne se réalisèrent pas, il ne resta pas longtemps en vie, et disparut dans un autre monde. »

Le texte ajoute que cet enseignement se répandit particulièrement dans l'Amdo, à l'est du Tibet. Si succincts soient-ils, ces renseignements nous sont utiles. Karmalingpa est considéré comme une incarnation de Lügjeltsän, le traducteur de Tschöro[42]. Ce traducteur vivait à l'époque de la première propagation du bouddhisme au Tibet (VIIe-IXe siècle environ). Il fit, entre autres, la traduction du *Arya-amitabha — Vyuha-namamaha-yana-sutra*[43]. Ce sutra est le texte fondamental de la méditation d'Amitabha au Tibet, car dans la branche bouddhique du « pays pur », Amitabha est également le grand sauveur de l'état intermédiaire, à la juste vue pénétrante, qui lui permettra d'atteindre la libération. La prière de Sukhavati est directement liée à la vision d'Amitabha et au Bardo-Thödol. Ces enseignements et cette œuvre littéraire ont le même contenu et font appel à la même pratique religieuse. On peut ainsi déduire que les enseignements du Bardo-Thödol ont un lien avec le traducteur du Tschöro. Ce même traducteur fut envoyé en Inde par le roi Thisong-de-Tsän[44] pour inviter Vima-Lamitra, un des grands maîtres Dsogtschen à venir au Tibet[45]. Il est probable qu'avec le Sukhavati-Sutra il traduisit d'autres textes qui trouvèrent plus tard leur point de cristallisation dans le Bardo-Thödol. Il est malheureusement impossible d'établir si le texte trouvé par Karmalingpa sur le mont Gampodar se présentait sous la même forme que celle que nous avons aujourd'hui sous les yeux avec le Bardo-Thödol. Selon la tradition locale, Padmasambhava serait l'auteur de cet enseignement.

Karmalingpa remit à l'honneur le « Livre des Morts » dans la vie spirituelle tibétaine du XIVe siècle. Ce texte fut adopté aussi par les autres courants du bouddhisme tibétain. Karmalingpa appartenait à l'école des Anciens[46] qui perpétuent aujourd'hui la tradition et son enseignement. L'école Kagjupa[47], celle des Gelugpa[48] et celle des Bönpo[49] possèdent chacune sa propre version du texte. Aussi longtemps que ces différentes versions ne seront pas à la disposition du public pour être comparées, il sera impossible d'établir une analyse définitive.

Reprenons les trois points définis au début de ce chapitre comme critère de l'analyse d'une œuvre religieuse :

1) La transmission du Bardo-Thödol sous sa forme actuelle, remonte au XIVe siècle.

2) Les idées de cette œuvre apparaissent déjà dans le *Abhidharmakosa* et dans le *Boddhisattvabhumi*, œuvres des IVe et Ve siècles.

3) Les représentations du Bardo-Thödol et ses instructions pour la vie spirituelle semblent étroitement liées aux prières de Sukhavati et à la vénération d'Amitabha. Il paraît vraisemblable que la pratique du Bardo-Thödol fut apportée au Tibet avec le Sutra de Sukhavati, par un groupe mystique bouddhiste dont faisait partie Vimalamitra et Tschöro Lügjeltsän.

D'autre part, le Bardo-Thödol présente des métaphores et des symboles qui n'ont pas de lien direct avec la signification du « Livre des Morts », mais qui sont empruntés à des représentations archaïques que nous retrouvons dans la mythologie d'autres peuples. Ces métaphores ne sont pas à prendre au sens propre. Elles sont des figures de style permettant à l'auditeur de mieux pénétrer le sens du « Livre des Morts ».

Le Bardo-Thödol de Karmalingpa

Les sources

Devenue célèbre sous le titre *La Libération de l'État Intermédiaire par l'Écoute*[50], le texte du Bardo-Thödol a été découvert au XIVe siècle par Karmalingpa et inséré dans le cycle intitulé *La Libération Spontanée par la Dévotion aux Divinités Paisibles et Courroucées*[51]. Ce cycle rassemble un grand nombre de rituels concernant la mort. Certains de ces textes complémentaires ont été insérés dans le Bardo-Thödol. Il y est souvent répété de lire telle ou telle prière. Ces prières se trouvent dans le cycle précité, comme plus tard sous le titre : *Les Paisibles et Courroucées de Karmalingpa*[52]. Le mandala des divinités paisibles et courroucées se retrouve dans un autre texte ancien : *Recueil des Paroles pour les*

Divinités Paisibles et Courroucées[53]. Il a été trouvé par Ugjenlingpa[54] (1326-1360) dans une figure Rahu à Pematseg[55] près de la grotte de Yalungschelda[56].

Il n'existe à ce jour aucune édition critique du texte original du Bardo-Thödol. Ce texte a été édité en Inde en 1969 sous le titre *bar-do-thos-grol bzhugs-so, the Tibetan Book of the Dead,* et porte comme nom d'auteur *The great Acharya Shri Sing-ha.* La raison pour laquelle le « Livre des Morts » de cette édition est attribué au maître Srisimha (en sanscrit[57]) n'est pas éclaircie. En tant que maître de l'enseignement des Njingmapa, il peut effectivement passer pour un des inspirateurs du « Livre des Morts » ; cependant cette indication est trop vague pour qu'il puisse être considéré comme l'auteur de l'œuvre. Par ailleurs, il existe plusieurs versions imprimées ou manuscrites conservées dans des instituts dont l'accès n'est pas libre à chacun. Ces exemplaires relèvent aussi parfois de propriétés privées. Nous classerons les différents textes imprimés et manuscrits de la manière suivante :

— G. Tucci : dans Tucci Hessig
Die Religion Tibets und des Mongolei — Stuttgart, 1970, p. 284, texte n° 92 : Bar do thos grol.

— J. Kolmas : *Tibetan manuscripts and Blockprints in the library of the oriental institute Prague* — Prague, 1969, p. 49 et suivantes, texte n° 36 : srid-pa bar-doïngo-sprod gsol'debs bzhugs-so.

— W. Y. Evans-Wentz : *The Tibetan Book of the Dead* — Londres, 1927, réédition 1972, p. 68 et suivantes. Cette édition cite un autre manuscrit appartenant à Johan van Manen, secrétaire de la société asiatique à Calcutta.

— F. Fremantle — Chögyam Trungpa : *The Tibetan*

Book of the Dead, Shambala Boulder and London 1975, p. 12.
— *Bar-do-thos-grol bzhugs-so, The tibetan Book of the Dead,* by The great Acharya Shri Sing ha. Ce texte imprimé en Inde en 1969, fait allusion à trois autres impressions sans donner aucune précision.
— *D. I. Lauf Geheimlehren Tibetischer Totenbücher* — Freiburg in Br., 1975, p. 269, texte n° 6.

Pour la présente traduction, nous nous sommes servi autant de l'édition indienne de 1969 que d'un autre texte imprimé ne comportant aucune indication de lieu et de date d'impression. Les caractères d'impression de ce texte ne ressemblent pas à ceux du texte utilisé par Evans-Wentz, Tucci ou Poucha.

Jusqu'ici chacune des traductions du Bardo-Thödol adjoignait des textes complémentaires au texte principal. Ces suppléments n'apportent aucun élément essentiel à la compréhension de cet enseignement, surtout lorsque le but de l'édition n'est pas de servir principalement de rituel des morts. Ces suppléments sont, entre autres, une prière adressée à tous les Bouddhas et Boddhisattvas, ainsi qu'une autre *Prière pour la Délivrance du Chemin Périlleux de l'État Intermédiaire* (un vers en sera cité dans le chapitre sur l'état intermédiaire de la vérité en soi) et finalement des *Paroles Fondamentales pour l'État Intermédiaire,* citées par le Bardo-Thödol.

D'autres textes éclaircissent certains aspects de l'enseignement général de l'état intermédiaire, particulièrement du point de vue de la pratique religieuse. Il existe donc d'autres prières et d'autres textes de méditation enseignant la méthode pour arriver à la vision des diverses divinités et pour éliminer les passions innombrables. Mais aucun de ces textes n'ajoute d'éléments fondamentaux, utiles il est vrai pour le rituel des morts mais sans intérêt notoire pour le lecteur désireux de connaître simplement l'enseignement de l'état intermédiaire.

Note pour la présente édition

C'est le mérite incontestable d'Evans-Wentz d'avoir rendu le Bardo-Thödol plus célèbre en Occident qu'il ne l'était en Orient[58]. Ce texte, donnant des indications précises et détaillées sur l'existence après la mort, effraya les Occidentaux pour lesquels l'existence se termine avec la mort. Le célèbre tibétologue italien G. Tucci, à la fin des années 40, sentit la nécessité de présenter une nouvelle traduction du « Livre des Morts »[59]. Finalement fut publié le texte d'une série de conférences[60] de F. Fremantle et Chögyam Trunga. On peut se demander si une nouvelle traduction se justifie. Mais précisément, lorsqu'il s'agit de langues asiatiques, le traducteur est toujours interprète. Les double sens et contresens trahissent facilement le texte original. Cette nouvelle traduction présentée ici devrait permettre d'avoir en main un texte lisible et compréhensible, transmettant le sens implicite du texte original, s'écartant le moins possible du mot tibétain. Une telle exigence nécessite évidemment de nombreux compromis. L'auteur de cette traduction est conscient de ce qu'il doit à tous ceux qui avant lui ont traduit le Bardo-Thödol et, malgré ses efforts, il se sait encore loin du but proposé. La traduction du tibétain, malgré l'existence des travaux précédents, présente de notables difficultés, non quant à la compréhension mais quant à la formulation. Par exemple, le mot tibétain « ngosprod » (prononcé ngotö) apparaît continuellement dans le texte. Littéralement il veut dire « rencontre du visage » mais ne signifie pas, de façon dualiste, la rencontre et la confrontation de deux données. Il s'agit de reconnaître ce qui apparaît comme étant notre propre visage. Evans-Wentz le traduit par « de face à face ». Tandis que F. Fremantle-Ch. Trungpa donne « se montrer » et Tucci « se reconnaître ». Comme le tibétain ne distingue pas verbe et substantif, le mot peut aussi bien se traduire sous une forme active que sous une forme passive, sujet ou complément de cause. C'est aussi bien le mort qui peut, de lui-même, « voir une chose en plein visage », c'est-à-dire comprendre ou reconnaître, que le Lama qui aide le mort à avoir la vision. Selon le contexte, la traduction peut être complètement différente bien que le tibétain n'utilise qu'un seul mot.

Plus difficile encore nous paraît la traduction des concepts de la spiritualité bouddhique. Nous avons recherché très consciemment une traduction littérale du mot tibétain pour transmettre le plus fidèlement possible le sens du concept. A l'intention des spécialistes de la langue tibétaine, nous avons indiqué, à la fin de l'ouvrage, tous les concepts tibétains dans l'ordre de leur apparition dans le texte, de telle sorte qu'un index des mots tibétains et sanskrits est apparu superflu. Il est évident qu'une traduction destinée à toucher un nombreux public ne peut prétendre à l'exactitude extrême d'une traduction scientifique. Nous prions donc les spécialistes de comprendre pourquoi nous nous sommes permis quelques libertés nécessaires pour la compréhension du texte. Comme les concepts bouddhiques ne peuvent être parfaitement traduits, il nous a paru nécessaire d'introduire brièvement chaque chapitre en éclaircissant les expressions particulières et en donnant quelques explications sur le sens général. Ce commentaire est le développement des idées présentées dans l'introduction.

Pour des raisons de clarté, il nous a paru justifiable de partager les trois grandes parties du Bardo-Thödol en chapitres distincts. Afin de faciliter au lecteur la compréhension générale de l'ouvrage, nous les avons présentées sous des sous-titres qui ne figurent pas dans le texte original.

Finalement il ne faut pas omettre de souligner qu'un document concernant une expérience de la vie religieuse ne peut être considéré seulement en tant que document d'intérêt historique. Comme œuvre d'art, il comporte cet élément inexplicable qui attire l'homme et qui le conduit à de nouvelles réflexions. Une œuvre telle que le Bardo-Thödol serait morte si on ne la considérait qu'à titre littéraire. Elle est bien davantage le témoin unique de l'expérience religieuse et de la foi de tout un peuple.

Il n'était pas dans notre intention d'expliquer le « Livre des Morts » par une introduction ou des commentaires en tête de chapitre ; nous souhaitions plutôt montrer au lecteur ce qu'un Tibétain se représente à chacun de ces chapitres et à quelle expérience ce livre le conduit. Cette foi vivante de l'homme ne procède pas des livres mais elle habite le fond de son cœur et elle est importante. En matière de religion, la littérature n'a que la fonction de conserver les formes extérieures des idées et des conceptions de la foi. Les œuvres littéraires ne doivent pas être estimées en fonction de leur ancienneté mais parce qu'elles nous permettent de rencontrer le cœur vivant de l'homme dans ses dimensions infinies.

Comme Lama Govinda l'indiquait déjà dans sa préface, il n'est pas toujours facile de comprendre la signification du Bardo-Thödol. Je suis très heureux que Gesche Lobsang Dargyay ait pu discuter avec moi de toute la traduction. Mes remerciements vont tout particulièrement au **Très Vénérable Kalou Rimpoché** pour l'aide qu'il a bien voulu nous apporter quant aux passages les plus délicats. Les noms tibétains sont transcrits phonétiquement. Comme l'écriture tibétaine est très éloignée de la prononciation, il était malheureusement impossible de transcrire correctement les noms et les concepts.

Les mots sanskrits eux se lisent à la manière latine.

A noter que « c » se prononce « tche » et que « j » se prononce « dje »

Pour la transcription des mots tibétains, j'ai suivi le système proposé par T. Wylie[61].

EVA K. DARGYAY

Le Bardo-Thödol et sa signification dans la vie religieuse tibétaine

Comme l'indique l'introduction, le Bardo-Thödol fait partie des textes-trésor qui remontent à l'époque de Padmasambhava (VIIIe siècle) et nous ont été transmis depuis sans interruption. Aux époques où ces textes restaient cachés, une tradition vivante existait cependant parmi les êtres spirituels des Dakinis. Le découvreur de ces textes n'était et n'est pas un homme ordinaire, tombant par hasard sur des textes anciens. C'est un saint qui, grâce à la force de son karma, est appelé selon les prophéties de Padmasambhava à retrouver ces textes. Il s'agit d'une mission qu'il ne peut éviter. Il écrit commentaires et éclaircissements du fragment découvert sous l'inspiration des Dakinis. L'ensemble passe pour un texte-trésor. Padmasambhava et ses élèves cachèrent ces textes.

Dans la tradition locale, ces textes sacrés ont la même authenticité que les autres textes qui ont été transmis dans leur forme originale sans interruption d'homme à homme. Ainsi la transmission de l'ancienne école du bouddhisme tibétain a suivi deux voies : premièrement celle de la prédication[1], c'est-à-dire l'enseignement transmis par les maîtres et deuxièmement ces textes-trésor[2].

Les remarques suivantes s'appuient sur mes nombreuses années d'études au couvant de Ra-hor, à l'ouest du Tibet, dans la province Amdo, et au couvent de Drepung à quelques heures de Lha-sa ; elles sont d'autre part le fruit de mon expérience personnelle acquise également au Tibet dans ma patrie.

Qui peut pratiquer le Bardo-Thödol

Comme la plupart des enseignements de l'ancienne école, le Bardo-Thödol fait partie de la tradition tantrique qui, selon la règle, ne peut être étudiée et pratiquée sans discernement.

Les raisons en sont simples : pour une conscience inexercée, les enseignements tantriques comportent des formulations qui prêtent à confusion et suscitent des idées pouvant conduire à des catastrophes psychiques. A l'inverse de ces enseignements, le Bardo-Thödol, lui, peut être étudié par chacun. Il est même conçu particulièrement pour celui qui n'a ni le temps ni la possibilité d'entreprendre une longue étude et un entraînement spirituel astreignant. Le texte du Bardo-Thödol indique clairement qu'il s'agit seulement, au moment de la mort, de se rappeler l'enseignement qui a été entendu. Ce simple souvenir peut déjà permettre d'éviter le pire, à savoir une renaissance dans les mauvais états d'existence. Les exercices suivants de « transfert de conscience[3] » ont été appliqués principalement par des laïques et souvent même par des illettrés. On raconte au Tibet l'histoire d'un berger qui, dans la solitude de ses pâturages, s'exerçait à tel point au « transfert de conscience » qu'il était devenu un véritable maître. Évidemment la plus haute connaissance n'est pas pour autant atteinte ; mais lorsque celui qui a exercé le Bardo-Thödol meurt, il remplit alors facilement la condition nécessaire pour passer dans l'un des royaumes célestes des cinq Bouddhas [4] où chacun prend part à un enseignement si intensif et si direct du Bouddha qu'il peut en devenir dès lors le disciple personnel et atteindre par là la plus haute illumination, c'est-à-dire la bouddhéité. Ainsi l'enseignement du Bardo-Thödol, et particulièrement la pratique du « transfert de conscience », est une voie tout indiquée pour les pays où les maîtres appropriés ne se trouvent pas toujours à proximité. Il est cependant évident, même dans le cas du Bardo-Thödol, que l'enseignement oral d'un maître, d'un Lama, permet un développement spirituel plus fructueux et plus dynamique. L'intégrité du maître, son expérience, éveillent en nous une juste confiance envers la voie. Son exemple nous prouve l'exactitude de la voie qu'il pratique. Par son enseignement, le Lama nous permet de nous joindre à une chaîne d'hommes qui ont pratiqué ces exercices pendant des siècles ; et les nombreux maîtres qui les ont guidés, viennent encore aujourd'hui à notre aide par leur exemple dans les moments de faiblesse et de doute.

A de telles heures, l'enseignement reçu dans les livres est insuffisant. Ne se fiant plus à son propre intellect on perd confiance en ce que l'on avait initialement estimé. Il arrive facilement que les parties importantes d'un enseignement soient mal comprises à la lecture. C'est pourquoi il est recommandé à toute personne désirant étudier le Bardo-Thödol de se le faire expliquer par un Lama. Aucun écrit ne peut remplacer cet enseignement personnel direct. Un écrit ne peut et ne doit que préparer le chemin qui mène à un Lama.

Usage pratique de l'exercice du Bardo-Thödol

Le Bardo-Thödol répète inlassablement que l'on doit se rappeler l'enseignement reçu du Lama pendant notre vie. Il s'agit de tout autre chose que d'une simple mémorisation. Chaque mot, chaque nuance, chaque signification doivent être clairement compris. Cela signifie qu'il ne s'agit pas simplement d'étudier cet enseignement en le lisant quelques fois peut-être, mais qu'il faut l'exercer jusqu'à ce qu'il nous suive dans le sommeil. En d'autres termes, l'exercice de cette méthode doit imprégner l'homme au point qu'en toutes circonstances cet enseignement lui soit présent, qu'il en rêve la nuit et qu'il aspire à se retirer « dans cet exercice » comme dans sa propre maison. Cet exercice n'est pas une sorte d'exploit sportif ou spirituel, qui détend l'un, réjouit l'autre, et donne une nouvelle sensation d'exister. Mais c'est un exercice où l'homme s'engage avec toute sa personne, un creuset où il se fonde en un homme nouveau. Les mystiques chrétiens d'Occident utilisaient l'image de la main pressurant la grappe de raisin. Le bouddhisme se sert de l'image de la fonte de l'or. Dans les deux cas, il s'agit de la même réalité. Ce qui au départ est caché au fond de l'existence d'un être est mis à nu. Cet épanouissement forcé libère l'homme, l'ouvre à une nouvelle face de lui-même. Passage douloureux s'il en est. Les biographies de tous les mystiques, de quelque religion qu'ils soient, en sont le témoignage.

Pour l'exercice du Bardo-Thödol, il faut donc aussi avoir un cœur courageux, prêt à être transformé par l'exercice qui, par la pratique, devient partie intégrante de nous-même. Lorsqu'à l'heure de la mort, effroi et souffrance s'approcheront, on sera certain de pouvoir réaliser l'exercice.

Dans le tantra *L'Annonce du Vainqueur, une Instruction sur l'Essence de la Dévotion*[5] qui nous est transmis par l'ancienne école du bouddhisme tibétain, il est dit au Xe chapitre que l'on doit exercer le Bardo-Thödol de son vivant aussi inlassablement qu'une jeune donzelle devant son miroir cherche à se rendre plus jolie et plus attrayante. A la fin, ces efforts qui durent toute une vie, vous donnent une sûreté qu'un autre texte[6] décrit avec une image très intérieure. L'élève entre en méditation sans crainte et aussi sûrement que l'oiseau vole à son nid ou que l'enfant saute sur les genoux de sa mère.

Pratique auprès des malades et des mourants

La mort n'est pas un événement limité à un moment donné mais un processus qui se prolonge souvent longtemps. Certains signes annoncent parfois l'approche de la mort. Dans le texte du Bardo-Thödol, ceci correspond à la libération des éléments constitutifs du corps. On peut dire que les signes suivants annoncent généralement l'approche de la mort : l'homme éprouve le poids de son corps plus lourdement qu'à l'ordinaire, ses lèvres et sa bouche se dessèchent, les chaleurs vitales quittent son corps, l'esprit s'assombrit jusqu'à s'évanouir. Lorsque les forces de vie s'estompent, l'esprit entre dans une lumière blanche de ciel crépusculaire, semblable au petit lever du jour avant que le soleil n'ait atteint le bord de l'horizon. Cette lumière blanchâtre passe au rougeâtre, semblable au ciel d'un lever de soleil. L'obscurité enveloppe alors l'esprit qui s'évanouit. Le Bardo-Thödol appelle cet état de conscience « le moment où la respiration extérieure s'arrête et où le souffle intérieur n'est pas encore interrompu ».

Lorsque l'esprit du mort sort de cet évanouissement, il voit la lumière originelle resplendissante comme la transparence d'un ciel brillant. S'il reconnaît cette lumière fondamentale, le mort est alors libéré. Mais il reste à l'état intermédiaire s'il ne reconnaît pas cette lumière.

Il est très important que le mourant se rappelle ses bonnes actions et qu'il puisse ainsi aller à la rencontre de la mort dans le sentiment d'une totale confiance à l'égard de sa vie écoulée. Un paisible sourire se montre alors sur son visage, et son corps détendu repose sur sa couche. C'est pour cette raison que les Tibétains évitent tout pleur et toute lamentation dans la chambre mortuaire. Les proches parents restent souvent éloignés de cette chambre, car ne pouvant contenir leur chagrin et leur douleur, ils pourraient entraver le passage du mort dans l'autre monde. Les chaleurs du corps, quittant tout d'abord les jambes et se retirant dans la région du cœur, sont le signe d'une mort heureuse. Le contraire de cette mort paisible est la mort malheureuse : le mort s'avance, se cabre, cherche avec ses mains un appui dans l'air et retombe en arrière tout recroquevillé. Dans cette mort malheureuse, les chaleurs du corps quittent d'abord la tête et le haut du corps pour se retirer dans la région du cœur. Ces signes permettent de prévoir si la naissance suivante sera bonne ou mauvaise.

Lorsque les signes de l'approche de la mort apparaissent, il est temps de commencer à lire le Bardo-Thödol, le mort entend encore les paroles, il peut se remémorer les exercices pratiqués au cours de sa vie. La peur de la mort disparaît et dans une pleine confiance, sans pensées dispersées, il passe le seuil de la mort. Même si le mort est tombé dans un état d'inconscience, il est pleinement justifié de poursuivre la lecture du Bardo-Thödol. Quoique le mort paraisse ne plus rien entendre, les mots cependant pénètrent dans une couche profonde de son subconscient, et passé l'évanouissement, il se remémore ce qu'il a entendu. Notre sommeil habituel connaît le même processus. La tradition tibétaine dit que la lecture du Bardo-Thödol devant un être inconscient correspond à la mise en place de toutes sortes d'ustensiles dans une sombre cave. Même si on ne les voit pas au premier abord, dès qu'une bougie sera allumée, on pourra mettre la main dessus. Donc ces paroles lues à haute voix restent indistinctes dans le subconscient du mort ; dès qu'il sort de son évanouissement, au début de l'état intermédiaire, il se rappelle ce qu'il a entendu et le met à profit.

Si le mort passe à l'état intermédiaire dans de tels sentiments, il parvient plus facilement à la vue pénétrante de sa propre réalité spirituelle, la lumière fondamentale. Au chevet d'un malade et d'un mourant on commence donc à lire, au Tibet, le Bardo-Thödol, mais comme on n'est pas certain que le mort parvienne réellement dans l'état intermédiaire, à cette vision intérieure, à cette vue pénétrante, la lecture du Bardo-Thödol est poursuivie pendant sept semaines. C'est le laps de temps maximum que le mort passe dans l'état intermédiaire. Même s'il quitte plus rapidement cet état, la poursuite de la lecture du Bardo-Thödol ne le gêne en rien.

La lecture du Bardo-Thödol après la mort

Lorsque l'esprit du mort entre dans l'état intermédiaire, il ne sait tout d'abord pas qu'il est mort. Il se croit encore vivant et s'étonne que le monde qui l'environne soit subitement si différent. Le mort est devenu un corps-pensant qui perçoit tout ce qui l'environne, mais sait qu'il ne peut être vu par le commun des mortels. Comme dans un rêve, ce corps-mental peut se transporter là où il veut sans aucune contrainte matérielle car il n'a plus ni chair ni sang. Ce corps mental est cependant encore lié à son corps physique et à l'endroit où il vivait. La lecture du Bardo-Thödol au chevet du mort, là où il avait l'habitude de vivre, peut donc être entendue par son corps-mental.

Transfert de conscience

Au début du Bardo-Thödol, il est dit : « Au moment où apparaissent les signes indéniables et indiscutables de la mort, il faut suivre les indications de la *Libération Spontanée par la Simple Réalisation du Transfert de Conscience*[7]. Celui qui, réellement, s'est imprégné de l'exercice du transfert de conscience et qui l'a mené à la perfection, peut être assuré de trouver la libération dans l'état intermédiaire. Le transfert de conscience est un développement significatif de la méditation d'Amitabha. Il est la meilleure préparation à la mort et à l'état intermédiaire.

C'est pour cette raison que je considère cet enseignement comme très important. Et je redis ici à quel point l'enseignement direct d'un Lama est préférable à une simple lecture. Une initiation à la méditation d'Amitabha[8], donnée par un Lama, est incomparable.

En fonction des Trois Corps de Bouddha[9], commentés dans l'introduction de cet ouvrage au sujet des vers de dédicace du Bardo-Thödol, on peut dire qu'il existe trois transferts de conscience :

1) La conscience opère ce retour sur elle-même lorsque le yogi reconnaît que la vacuité[10] est la réalité propre de sa pure conscience spirituelle. Il passe alors de la conscience spirituelle à la conscience universelle. Cet exercice exige un très grand entraînement spirituel et n'est donné qu'aux yogis très avancés car, à ce moment de la méditation, plus aucune représentation ou image de pensée ne vient en aide.

2) A un deuxième stade, le transfert de conscience s'opère lorsque le yogi reconnaît l'identité de sa conscience spirituelle avec la sphère de la réalité absolue[11]. A ce sujet, il médite sur le canal subtil central (voir le commentaire de la 1re partie) que l'on représente comme un tuyau de bambou transparent. A la hauteur du cœur, se situe en caractère tibétain la syllabe-germe AH (ཨ). C'est la conscience spirituelle qui réunit en elle tous les processus de pensée. Ce AH s'élève dans le canal subtil central, jusqu'au sommet de la tête, la traverse et se libère dans la sphère de la réalité absolue[12].

3) La conscience elle-même peut aussi être influencée grâce à Amitabha, le Bouddha de « toute lumière » ou de « lumière illimitée »[13].

Le paragraphe suivant expliquera en détail cet exercice, indiqué pour les personnes dont l'expérience spirituelle est encore peu avancée.

Le transfert de conscience à l'aide d'Amitabha

Le Bardo-Thödol indique que le transfert de conscience peut être entrepris par soi-même ou à l'aide d'un Lama. Les explications suivantes se fondent essentiellement sur le traité : *Le Transfert de Conscience, (un Chemin) vers la Bouddhéité sans Méditation*[14] de Tchimelingpa (1729-1798) et sur le *Commentaire au Transfert de Conscience sous l'égide d'Amitabha*[15] de Gungthang Tanpädönme (1762-1823).

Il existe de nombreuses méthodes de transfert de conscience, certaines sous la protection d'autres divinités qu'Amitabha. En fonction du Bardo-Thödol, il est conseillé de s'adresser à Amitabha qui facilite particulièrement cette méditation puisqu'il est particulièrement lié au Bardo-Thödol. Il est nécessaire de s'arrêter ici un instant au sujet du Bouddha Amitabha. Un sutra du Kanjur, le recueil des enseignements du Bouddha Sakyamuni, concerne particulièrement Amitabha et le royaume de la félicité céleste, notamment le *Sutra Mahayana, appelé le Développement (du Royaume de la Félicité Céleste) du Noble Amitabha*[16]. Celui qui se tourne vers le Bouddha Amitabha a le bonheur de renaître grâce à sa compassion et à sa bonté pure dans le royaume de la félicité céleste, où il demeure dans l'enseignement du Bouddha Amitabha jusqu'à ce qu'il atteigne l'éveil parfait et qu'il entre et agisse dans l'existence comme Boddhisattva, pour le bien de tous les êtres.

En plus de la répétition continuelle du nom d'Amitabha, le transfert de conscience est la meilleure méthode pour renaître dans l'état de la béatitude du royaume de la félicité céleste. Les souffrances du monde de l'impermanence seront alors complètement dépassées.

La Méditation

Avant de commencer la méditation proprement dite, on prend refuge auprès des Trois Rares et Sublimes, Bouddha, Dharma, Sangha, et l'on éveille en soi le dessein d'œuvrer pour le bien et l'illumination parfaite de tous les êtres. Puis on visualise le Bouddha Amitabha, élevé dans les airs, et l'on s'adresse à lui en disant trois fois la prière suivante : « Amitabha, Protecteur sublime, noble, parfait et entièrement réalisé, je te révère, je te fais des offrandes et je prends refuge en toi. »

On visualise ensuite le canal subtil central. Il est semblable à un bambou transparent, aussi mince que la tige d'une flèche, légèrement rougeâtre à l'intérieur, et blanchâtre à l'extérieur. Ce canal commence à trois doigts au-dessous du nombril et se termine au sommet du crâne. A la hauteur du cœur, ce canal subtil fait un nœud pareil à un nœud dans une tige de bambou. Sur ce nœud se trouve un point lumineux, vert clair, qui est la forme la plus subtile de la vitalité. Il porte la syllabe tibétaine HRI (ཧྲཱིཿ) qui est d'un rouge lumineux. C'est l'esprit soi-même.

On essaye de visualiser le Bouddha une aune au-dessus de la tête. Il est d'un rouge éclatant, les jambes en lotus, en posture de méditation, les mains posées l'une sur l'autre, ouvertes vers le ciel et portant « l'aumônière ». Cette figure indique toutes les caractéristiques d'un Bouddha : lobes des oreilles pendants, crâne surélevé, etc. La personne d'Amitabha représente simultanément aussi bien le Lama que tous les maîtres de cette tradition.

Le même canal subtil central existe chez Amitabha, avec le caractère HRI dans la région du cœur. Amitabha se trouve donc au-dessus de celui qui médite, de sorte que leurs deux canaux subtils respectifs se prolongent l'un l'autre. Si l'un veut que son HRI soit tourné vers le haut de soi, il faut arriver à voir le HRI du canal nerveux d'Amitabha. On éprouve le profond désir de s'unir à Amitabha lorsque notre propre HRI, qui est notre esprit, a reconnu le HRI d'Amitabha. Le HRI s'élève comme une feuille dans le vent et, tandis que le méditant murmure HRI HRI HRI HRI, il monte dans le canal subtil central et le quitte en traversant l'orifice de Brahma. Ensuite le méditant prononce un HIK sur un ton haut et son propre HRI s'unit alors à celui d'Amitabha. On y reste plongé quelques instants. La syllabe KHA prononcée sur un son bas fait redescendre le HRI qui reprend sa place dans la région du cœur.

C'est la partie la plus importante de l'exercice et il est nécessaire de le renouveler sans cesse. Il faut veiller attentivement à ce que notre HRI reprenne sa place initiale dans le canal nerveux central. Lorsqu'on est arrivé à une haute maîtrise de cette méditation, il peut arriver qu'on meure à l'improviste lorsque le HRI, c'est-à-dire notre propre esprit, ne redescend pas dans notre corps. Dans cette méditation il faut répéter trois fois l'exercice décrit ci-dessus. Pour terminer la méditation, on laisse l'image d'Amitabha devenir toute lumière. Celle-ci descend alors dans notre corps et se fond avec lui. Par là même, l'ouverture du canal subtil central se referme au sommet du crâne et dans cet « entraînement à mourir », tout danger est écarté.

L'imperfection du langage humain donne l'impression que la personne du méditant est une chose et que sa conscience en est une autre. Mais il n'en est pas ainsi. Bien au contraire, il faut considérer notre propre corps comme une maison où l'on habite en tant que HRI. Dans les mouvements du HRI, c'est notre personne qui est présente. Si l'on sépare le méditant et la conscience qu'il porte en lui, l'exercice ne peut réussir.

Divers signes se manifestent dans notre corps lorsque l'exercice est parfaitement réalisé. Au sommet du crâne apparaît une bulle qui monte et se répand en un liquide. Il est alors possible à cet endroit d'enfoncer sans peine une tige à travers la peau, comme dans un marécage. Celui qui a poursuivi avec succès l'exercice du transfert de conscience, ressent alors dans son corps une légèreté indescriptible, comme si le HRI dans son élévation avait entraîné le corps dans une sorte d'ascension.

Le transfert de conscience chez un mort

Le Lama, ou l'ami spirituel qui entreprend pour le mort la pratique du transfert de conscience, doit premièrement rappeler la conscience du mort. On invoque l'esprit du mort par le pouvoir des Trois Rares et Sublimes. Puis le Lama console le mort qui est dans un état d'égarement et de trouble sans nom. Il le soulage en lui rappelant que celui qui est né doit aussi souffrir la mort, qu'il soit empereur, maître du monde ou mendiant couché dans le ruisseau. La mort est une loi de la nature à laquelle personne n'échappe. Il n'y a donc aucune raison d'être affligé. Bien au contraire, le mort doit s'estimer heureux puisqu'il connaît le nom des Bouddhas et des Boddhisattvas et peut s'en souvenir.

Combien d'hommes doivent mourir sans pouvoir connaître une telle consolation. Puis le Lama commence le transfert de conscience.

Cette méditation se déroule essentiellement comme la précédente, à la différence que le Lama indique au mort comment il doit méditer. Le Lama lui-même entre totalement dans la méditation du mort. Il regarde comment la conscience du mort, en tant que syllabe HRI, s'élève dans le canal subtil central et s'unit au cœur d'Amitabha au-dessus du crâne du cadavre. La méditation et la puissante concentration du Lama est une telle aide et un tel appui que le mort n'a qu'à se confier pleinement. Alors son esprit trouve la juste voie à suivre.

Un mot encore pour celui qui veut entreprendre le transfert de conscience pour quelqu'un d'autre. Chacun peut s'exercer à ce transfert de conscience pour soi-même ou pour un ami mourant. Mais dès que celui-ci est mort, seul un Lama de haute spiritualité est apte à dire cette prière. Comme l'indique le Bardo-Thödol, le corps-mental, dans l'état intermédiaire, peut sans peine reconnaître les pensées imparfaites souvent dispersées et capricieuses des vivants, ce qui augmente la colère et le chagrin du mort, le précipitant dans son propre empêtrement et l'obligeant à retomber dans une nouvelle renaissance défavorable. Il ne faut donc pas que n'importe qui entreprenne cette action auprès d'un mort. Il faut qu'un Lama entreprenne lui-même le transfert de conscience du mort que l'on voudrait aider. De toute façon, il faut savoir que le transfert de conscience d'un mort par une personne de peu de spiritualité n'aurait aucun sens, du fait que cette personne ne serait pas même en état de rappeler l'esprit du mort.

Pour terminer, j'aimerais traduire les paragraphes les plus importants du traité que j'ai cité ci-dessus : *Le Transfert de Conscience, une Voie vers la Bouddhéité sans Méditation.* Celui qui veut réellement parvenir au transfert de conscience peut apprendre par cœur ce texte qui aidera et soutiendra son exercice. Quant à ce texte lui-même, ajoutons qu'il est d'usage dans la pratique tibétaine actuelle d'utiliser HIK à la place du PHAT. Il faut donc dire HIK là où le texte indique PHAT. D'autre part, la prière venant à la fin du texte se dit au début de la méditation.

Dans cette prière, il est parlé de « Omin[17] » comme d'un lieu au-delà du temps et de l'espace. Soit simplement d'un royaume céleste. Omin signifie le « lieu » de la pure transcendance. Le texte qui se récite pendant la méditation est ici interrompu par une explication provenant également de Tchimelingpa :

« Au centre de ce corps, représente-toi le canal subtil central, de l'épaisseur de la tige d'une flèche, vide et transparent de lumière. Il s'ouvre au sommet du crâne et se termine en bas près du nombril. Dans la région du cœur, il fait une sorte de nœud sur lequel la vitalité apparaît comme un point vert lumineux avec, à son centre, le caractère rouge HRI qui est la nature spirituelle soi-même. Une aune environ au-dessus du crâne, visualise clairement le Bouddha Amitabha avec tous ses signes distinctifs merveilleux.

« On prie ainsi plein de ferveur et de dévotion, en veillant à ce que la conscience ne soit troublée par aucune autre pensée. Rassemblé en soi-même, concentré en un point, on murmure cinq fois HRI en appuyant la langue contre le palais, tenant simultanément le haut du corps redressé et la tête droite.

« A ce moment-là, la syllabe HRI, la nature spirituelle, s'élève comme une feuille soulevée par le vent ; on pousse alors un puissant PHAT et comme une flèche, le HRI gagne le cœur d'Amitabha. Emaho ! Dans Omin, un lieu qui est en vérité l'apparition de ma propre nature spirituelle, je reste auprès de mon maître Lama, la demeure de tous les refuges — au milieu d'un arc-en-ciel, au centuple, du moins selon la croyance de mes sens. Il n'a pas un corps habituel mais un corps d'une transparence qui est en vérité le lumineux Amitabha. Je te vénère et je te prie de me donner ta bénédiction afin que je puisse suivre la voie du transfert de conscience ! Bénis-moi, que je rejoigne Omin. Laisse-moi parvenir dans la sphère de la réalité en soi qui est semblable à un palais ! »

La méditation terminée, on offre ce service pour l'obtention de la délivrance de tous les êtres.

GESCHE LOBSANG DARGYAY

LE LIVRE TIBÉTAIN DES MORTS

BARDO-THÖDOL

Extrait du Cycle :

L'Enseignement Approfondi de la Libération Spontanée par la Dévotion aux Divinités Paisibles et Courroucées

Ceci est la *Grande Libération par l'Écoute,* une prière pour l'état intermédiaire de la pure nature spirituelle et de la conscience universelle.

Commentaire. — Le texte du Bardo-Thödol est un extrait du cycle d'une œuvre générale intitulée *La Libération Spontanée par la Dévotion des Divinités Sublimes Pacifiantes et Terrifiantes.* Le Bardo-Thödol n'est cité dans le titre qu'en fonction de la première partie de l'ouvrage qui traite de l'état intermédiaire et de la conscience universelle.

Les vers d'introduction sont un hommage adressé au maître qui montre la voie vers la libération, à tous les maîtres qui ont transmis cet enseignement, et enfin au Bouddha qui fut le premier maître. Le Lama, le maître spirituel, participe de l'être véritable — la conscience universelle — et de l'ultime côté invisible, caché derrière chaque condition et chaque phénomène périssable, comme le ciel lumineux et sans tache est caché derrière les nuages. Le témoignage de la tradition locale va jusqu'à dire que le maître **est** cet insaisissable. De nombreux concepts essaient de définir cet « insaisissable » qui, depuis ce texte, est décrit comme le véritable être. Mais aucun concept ne le cerne vraiment.

Cette traduction comporte également cette lacune que présente toujours, hélas, la tentative de saisir par les mots l'insaisissable de l'expérience immédiate. Nous utiliserons ici un système provenant de l'histoire des religions, la **conceptualisation,** c'est-à-dire le fait de définir en mots, de verbaliser et d'enfermer en un système le caractère spontané de ce qui, dans la vie, est proprement insaisissable. Il est évident que la verbalisation n'a déjà plus la spontanéité originale et la fraîcheur de la vie, et que la conceptualisation s'en éloigne encore davantage. La spiritualité bouddhique a essayé de distinguer trois aspects différents de la vacuité qui est l'expérience de l'insaisissable. Ces trois aspects de la vacuité, c'est-à-dire de la véritable réalité, comme dit aussi le texte, sont :

1° l'être véritable sur le plan de la sagesse absolue, qui est identique à la réalité, c'est dire précisément identique à la vacuité insaisissable du phénomène. Les textes appellent cet aspect le **dharmakaya** *, ce qui mot à mot signifie « corps de vérité », corps étant pris dans un sens spirituel. A ce plan de l'être absolu se situe le Bouddha. Dans sa vision intérieure, il est fixé sur la vacuité inséparable de lui-même, inaccessible, vidée de toute idée, de tout contenu. La traduction utilise ici la notion de **corps de vacuité.**

2° De même que toute personne inclut en elle, outre le plan cognitif intellectuel, un plan éthique, l'être du Bouddha comporte également une autre sphère que les textes appellent le **sambhogakaya** ** ou le corps d'affinité, de « jouissance bienheureuse » ; un état de communion est ici impliqué, du fait que le Bouddha peut être saisi par d'autres êtres comme le maître et le médiateur de l'ultime sagesse. De son trésor de sagesse, qui est son véritable être dans le dharmakaya, il communique son ravissement à tout homme qui est presque de la même condition que lui. Dans l'enseignement, cette communication est « l'affinité » de jouissance bienheureuse du Bouddha et de tous les êtres qui partagent avec lui ce ravissement. Cette notion est traduite dans notre texte par « l'être de communication ». Cette expérience commune de la révélation de la sagesse dans l'enseignement du Bouddha engendre une sphère propre, toute pénétrée de l'action charismatique du Bouddha. Les textes parlent du champ d'action du Bouddha (Buddhaksetra). Nous traduirons aussi cela par la notion de Sambhogakaya ** pour signifier le ravissement de cette sphère qui vous « enlève », vous transporte. Ce lieu évidemment ne doit en aucune sorte être localisé réellement.

* Dharmakaya = corps de vacuité
** Sambhogakaya = corps de jouissance

3° L'être compatissant du Bouddha embrasse tous les êtres vivants dans sa compassion. Les êtres qui ne connaissent pas leur véritable nature et qui sont empêtrés dans leur souffrance suscitent la compassion du Bouddha. Ainsi le Bouddha montre un autre aspect de son être qui concerne un plus grand nombre d'êtres vivant dans l'ignorance et le mal. Il apparaît sous la figure d'un homme qui montre la voie allant de l'ignorance à l'illumination. Ceci est traduit par la notion de **Nirmanakaya** *. Donc, selon l'enseignement du Mahayana, le bouddha Sakyamuni, personnage historique, n'est pas le propre être du Bouddha, mais une apparition de son « être agissant ».

Dans l'hommage versifié, ces trois aspects de l'être seront associés à de nombreuses métaphores. Le Bouddha de la Lumière Infinie, Amitabha, est associé au véritable être, celui-ci comme nous l'avons vu dans l'introduction, étant lumière et rien que lumière, transparence en soi. Amitabha dans son véritable être est lumière et sagesse. L'être compatissant du Lama procède de ces êtres divins qui jouissent en commun, dans le Royaume Céleste, de cette ouïe et de cette vision de l'enseignement du Bouddha. Ce sont les divinités de l'ordre du Lotus qui considèrent Amitabha comme leur seigneur et maître. Le maître Padmasambhava est aussi l'être agissant dont témoigne tout grand maître tibétain et dont il a été parlé dans l'introduction. Ainsi tout un « cosmos » d'expériences spirituelles se développe dans le Lama, il est le chemin et le symbole de la propre voie.

Fin du commentaire

* Nirmanakaya = corps de manifestation.

Hommage

Om ! Vénéré soit le Lama qui est les Trois Corps

Vénéré le Corps de Vacuité,
ce par quoi l'Esprit Éveillé embrasse et pénètre tout,
Amitabha Bouddha de lumière infinie

Vénéré le Corps de Jouissance *,
divinités paisibles et courroucées de l'Ordre du Lotus

Vénéré le Corps d'Émanation,
Padmasambhava
venu comme sauveur de tous les êtres

Grand Enseignement de la Libération par l'Écoute offert au yogi moyen pour qu'il atteigne la libération lors de son passage à l'état intermédiaire

(Bardo)

* Le corps de jouissance est tous les aspects de la nature éveillée de Bouddha par lesquels on jouit de toutes les qualités du Devenir comme de la Quiétude.

Pour qui la lecture du Bardo n'est-elle pas nécessaire

Commentaire. — Les personnes ayant déjà atteint un développement spirituel qui leur permet de reconnaître par la vision intérieure la véritable nature des phénomènes n'ont pas besoin du Bardo-Thödol. Il en est de même pour tous ceux qui de leur vivant ont pratiqué le transfert de la conscience *. Cette méthode de méditation a déjà été suffisamment développée dans l'introduction pour qu'il ne soit pas nécessaire d'ajouter des éclaircissements. Celui qui donc, par la méditation du transfert de conscience, est capable d'unir sa propre nature spirituelle à celle d'Amitabha, le Bouddha de la Lumière Infinie, n'a pas besoin du Bardo-Thödol. L'introduction nous indique également que le Lama peut entreprendre aussi pour un mort le transfert de conscience. Un Lama est en mesure de savoir si son effort a été couronné de succès. En ce cas il cesse la lecture du Bardo-Thödol. Pour tous les autres êtres, la lecture du Bardo-Thödol est indispensable.

Fin du commentaire

* Transfert de conscience : tibétain « pho-wa »

Pour obtenir la libération des êtres, il faut premièrement avoir étudié les différentes techniques qui libèrent les êtres aux facultés supérieures. Si ceci n'est pas fait, il faut alors, dans l'état intermédiaire du moment de la mort, pratiquer le transfert de conscience [2]. Même ceux dont les facultés sont médiocres arriveront certainement à être libérés de cette manière. Mais pour ceux qui n'y sont pas parvenus, on doit continuer d'exercer la *Grande Libération par l'Écoute dans le Bardo de la Vérité en Soi**.

Il faut également que le mourant examine les signes de la mort selon le texte de la *Libération Spontanée par l'Observation des Signes avant-coureurs de la Mort* [3]. Au moment où ces signes deviennent évidents et indéniables, il faut pratiquer le transfert de conscience qui libère spontanément dès qu'on y pense. Celui qui a réalisé cette libération n'a plus besoin de la lecture de la *Grande Libération par l'Écoute.*

La lecture du Bardo-Thödol

Commentaire. — Le texte du Bardo-Thödol peut être lu en principe par n'importe qui, comme l'œuvre générale de la méditation d'Amitabha, la prière des Purs Champs de Félicité (Sukhavati), le transfert de conscience, et le Bardo-Thödol qui sont particulièrement destinés aux laïques. Depuis les temps les plus reculés, l'Inde, et non seulement le bouddhisme, a utilisé les formules sacrées dont l'aide était éprouvée seulement en des occasions très particulières. Nous trouvons une phrase d'une vérité indiscutable, qui pourrait paraître triviale : par la vertu de telle vérité, puisse-t-il arriver ceci ou cela. Mais

* C'est l'État intermédiaire en lequel la Vérité en Soi nous apparaît sous toutes ses formes : les Divinités paisibles et courroucées, les principes mêmes de ce que nous sommes.

il faut ici rappeler que le mot, pour l'homme, reflète le monde, c'est par le mot tout d'abord que l'homme peut prendre conscience du monde et de lui-même. Il est donc compréhensible que beaucoup de religions attribuent une force, une vertu magique, au mot. Dans notre contexte, le Lama prononcera une formule bouddhique et la répétera jusqu'à ce que, par la force de cette parole, l'esprit du mort veuille bien l'écouter.

La lecture commence avec la présentation des offrandes aux Trois Rares et Sublimes qui sont :
— le Bouddha
— le Dharma : le véritable enseignement sur la nature de toute chose
— le Sangha : la communauté de tous ceux qui enseignent et pratiquent le Dharma, notamment la congrégation des moines.

Ces Trois Rares et Sublimes sont l'objet de dévotion des Bouddhistes. L'offrande ne dépend pas de n'importe quel objet matériel. On se représente plutôt toutes les richesses de la terre, on s'en empare en esprit et on les offre symboliquement.

Les prières indiquées à la fin de ce chapitre sont à réciter en début de lecture du Bardo-Thödol aussi bien qu'à la fin.

Fin du commentaire

Si le transfert de conscience n'a pas réussi, il faut lire devant le mort, d'une voix claire et distincte, *La Grande Libération par l'Écoute.*

Si le cadavre n'est plus là, il faut se mettre à la place où le mort avait l'habitude de s'asseoir ou de dormir et appeler son esprit au moyen d'une formule sacrée. On se représente le mort assis devant soi, écoutant. Alors on lui fait la lecture ! Mais il est interdit aux parents et aux amis de pleurer pendant ce temps-là, car ce serait mauvais pour le mort. Si le cadavre est présent, le Lama, ou un frère dans le Dharma, ou une personne en qui le mourant avait confiance, ou un ami qui avait les mêmes sentiments, ou un de ses semblables, doit lire *La Grande Libération par l'Écoute,* la bouche tout près de l'oreille du mort sans l'effleurer, au moment où la respiration extérieure cesse mais que le souffle intérieur de vie n'a pas encore disparu.

Sacrifices et prières préparatives

Voici les explications essentielles pour la *Grande Libération par l'Écoute.* On présente aux Trois Rares et Sublimes de riches offrandes en fonction de ce qu'on a sous la main. Et s'il n'y a rien, on offre des représentations intérieures, multipliées à l'infini. Ensuite on répète trois ou sept fois une prière, demandant la protection des Bouddhas et des Boddhisattvas. Puis il faut chanter les prières suivantes : *Protection devant la Crainte de l'État Intermédiaire*[4], *Libération du Chemin Dangereux de l'État Intermédiaire*[5] et les *Principaux Versets de l'État Intermédiaire*[6]. Enfin, on récite *La Grande Libération par l'Écoute,* trois ou sept fois selon les cas.

Plan du Bardo-Thödol

Cette *Grande Libération par l'Écoute* consiste en trois parties.

I — Faire reconnaître la luminosité inhérente à l'esprit dans l'état intermédiaire du moment de la mort.

II — L'aide-mémoire pour reconnaître l'état intermédiaire où apparaît la Vérité en Soi.

III — Instruction pour fermer la porte d'entrée à une matrice dans l'état intermédiaire du Devenir.

Première partie

VUE PÉNÉTRANTE DE LA LUMIÈRE FONDAMENTALE DANS L'ÉTAT INTERMÉDIAIRE A L'HEURE DE LA MORT

Commentaire. — Le premier état intermédiaire qui succède directement à la mort dépend, pour la durée, du degré de spiritualité atteint par le défunt avant sa mort. Plus l'homme vivait enfoncé dans les illusions et les souffrances, plus court sera, à l'heure de la mort, le passage à l'état intermédiaire. Plus trouble également sera la lueur de la lumière originelle. La grande chance de reconnaître, dans la lumière fondamentale, l'essence intime de l'esprit, passera inutilement devant cet homme-là.

Celui qui aura exercé avec zèle de son vivant une de ces multiples méditations sur la lumière, sera seul à l'heure de la mort à pouvoir reconnaître dans l'état intermédiaire cette lumière naissante, comme l'essence intime incréée de l'esprit, la nature du Bouddha, la vacuité. Cette vue pénétrante donne la liberté : le défunt atteint la plus haute illumination, il devient un Bouddha. Le premier chapitre parle donc de ceux qui de leur vivant ont atteint un très haut développement dans leurs exercices spirituels et qui peuvent atteindre la libération du fait qu'ils comprennent la lumière originelle dans son essence.

Dans presque toutes les religions apparaît au moins une fois ce phénomène universel de l'identité Lumière-Pensée-Être. Selon la Bible, Dieu le créateur prononça cette première parole : « Que la lumière soit ». Créant et désignant ainsi sa première œuvre. (Gen. I. 3). La lumière au commencement n'est donc pas une simple masse du « devenir du monde » mais est aussi l'essence la plus intime de ce monde, l'être véritable de ce monde. Elle est visible en Dieu, dans les saints, et est la pure nature de l'esprit. Les disciples de Platon ont développé une métaphysique de la lumière, reprise et modifiée par l'Occident chrétien (voir A. Haas : *Der Lichtsprung der Gottheit,* dans Typologia Litterarum Festschrift für Max Wehrli, Zürich 1969, pages 219 et suiv.). Il a été noté dans l'introduction qu'on trouve déjà, dans les écrits bouddhiques les plus anciens, cette idéologie de la lumière. Selon les témoignages mystiques des religions les plus diverses, l'esprit, en tant que lumière, n'est pas une métaphore ou une image, c'est une expérience intime de son essence.

Dans le bouddhisme, la méditation de la lumière est de prime abord une reconnaissance de l'essence de l'esprit. Lorsque toutes les activités de l'esprit, le dialogue intérieur ininterrompu, se sont calmés, lorsque l'esprit devient clair et qu'aucune pensée ne le trouble plus, il apparaît alors dans toute sa lumière. Il existe plusieurs méthodes pour reconnaître la vraie nature de ce dialogue intérieur : concentration sur des syllabes (non sur des mantras), sur des jaillissements de lumière, etc. (voir Tucci-Heissig : *Die Religionen Tibets und der Mongolei,* Stuttgart 1970, p. 105).

Cette notion « d'essence de l'esprit » déjà ici utilisée, tente de traduire la notion tibétaine de **rang-rig.** Cette traduction est insuffisante, pourtant les langues européennes ne possèdent pas de concept approprié. Pour rendre le sens original, la traduction nécessite du moins quelques commentaires. Cette « essence de l'esprit » tient en quelque sorte des « ordres de conscience[7] », bien que les dépassant. Chaque moment de conscience détermine normalement un objet. La méditation libère précisément la conscience de cette détermination, alors la force de ce moment de conscience se porte vers l'intérieur, au-dedans d'elle-même, et rejoint au point central le plus intime d'elle-même, la vacuité, l'essence même de l'esprit. Cette vue intuitive ou « vue pénétrante » de ce centre intime de l'être en soi est obtenue lorsque l'on ferme le chemin à cette pulsion qui attire la conscience à l'extérieur, vers l'objet. Cette vue pénétrante de l'essence de l'esprit n'est pas une connaissance dualiste qui détache simplement l'objet reconnu et le place en face d'elle ; mais une connaissance qui éprouve l'essence de l'objet identique à l'essence du contenu de la vue pénétrante. La tradition tibétaine dit que la vision supérieure est à l'égard de son contenu, comme une goutte d'eau tombant dans l'eau.

Théoriquement, la vision supérieure du moment de conscience présent est périssable. Mais comme l'essence du moment de conscience est identique à l'essence de « l'esprit en soi » et que cette essence est toujours semblable à elle-même, la vue pénétrante reste également constante donc impérissable. Le concept rang-rig décrit aussi bien cette introspection méditative ou vue-pénétrante, que l'essence de « l'esprit en soi ».

Le chapitre suivant parlera également des canaux subtils. Ceux-ci ne doivent pas être confondus avec le système nerveux en usage dans la médecine occidentale. Ces canaux subtils ne sont aucunement des données somatiques, ce sont des conduits qui représentent les courants de vie, la structure fonctionnelle de la vie. Leur existence ne peut être cernée par le bistouri mais seulement par la pratique d'un yoga. Ceci est évidemment peu compréhensible pour l'homme habitué à considérer la science occidentale comme la seule démarche possible d'analyse. Le savant physicien et prix Nobel C. F. von Weizsäcker a essayé de mesurer et de comprendre les effets du yoga sur le corps humain, selon les méthodes scientifiques occidentales. (C. F. von Weizsäcker et Gopi Krishna : *Biologische Basis Religiöser Erfahrung,* Weilheim 1971, p. 24 et suivantes.)

Le texte présuppose la connaissance de l'organisation de ces canaux subtils auxquels il fait allusion. C'est pourquoi j'ajouterai ici : le corps est traversé par trois canaux subtils, un central et deux latéraux, un à gauche et un à droite. Semblables à la structure d'un bambou, ces canaux ont des séparations horizontales qui empêchent de s'écouler librement le courant vital ou la force de vie qui est intimement liée au souffle de vie et de ce fait à la respiration.

Durant la vie, ces trois canaux subtils sont reliés de sorte que la vitalité ne peut s'écouler librement en eux. A la mort, la vitalité est libérée et s'écoule dans le canal subtil central. Comme l'indique le texte, on retourne le mort, pour permettre au canal central d'être libéré de la contraction des canaux latéraux.

(Voir Gesche Rabten : *The Preliminary Practices.* Library of Tibetan Works and Archives. Dharamsala 1976, p. 13 et suivantes.)

Fin du commentaire

Réalisation de la vue pénétrante grâce à l'entraînement préliminaire

Grâce à cette lecture, de nombreux êtres ordinaires qui, ayant reçu des enseignements et étant intelligents, n'ont pas obtenu de réalisation, et tous ceux qui ont eu la réalisation mais qui n'ont pas pratiqué, reconnaîtront la luminosité de l'esprit court-circuitant les expériences du bardo, ils deviendront le Corps de Vacuité non né, incréé.

Méthode d'application des techniques : Il est préférable que soit présent le maître auquel le défunt s'était confié. Mais si ce maître ne peut être présent, un frère dans le Dharma, ayant fait les mêmes vœux ou, à défaut, un homme vénérable instruit dans la même tradition, ou n'importe quelle personne capable de lire clairement et distinctement, doit à plusieurs reprises faire la lecture de la *Grande Libération par l'Écoute*[8]. Celle-ci rappellera au mourant ce que son maître spirituel lui a enseigné et il verra instantanément la lumière fondamentale et il atteindra la libération sans le moindre doute.

Moment de l'application : Lorsque cesse la respiration extérieure et que le souffle[9] afflue dans le canal subtil central et que la connaissance apparaît comme étant lumière, lucidité de l'esprit en laquelle rien n'est produit. Après quoi, le souffle s'échappant dans les canaux subtils latéraux de droite et de gauche, les impressions du bardo s'élèvent progressivement dans l'esprit. C'est donc avant qu'il y ait cette fuite que doit être lue la *Grande Libération par l'Écoute.*

Durée de l'application : La période allant de l'instant où la respiration extérieure a cessé jusqu'à ce que le courant vital se retire. Ceci dure à peu près le temps de la consommation d'un repas.

Transfert de la conscience

Mode d'application : Il est recommandé d'entreprendre le transfert de conscience au moment où la respiration est près de s'arrêter. On aide celui qui ne peut y parvenir en disant :

« Noble fils (un tel), maintenant que ta respiration a presque cessé, voici pour toi le moment de chercher une voie car la lumière fondamentale qui apparaît lors du premier état intermédiaire va poindre. Ton Lama t'avait déjà montré cette lumière, la Vérité en Soi (Dharmata) vide et nue, comme l'espace sans limites et n'ayant pas de centre, lucide ; c'est l'esprit vierge et sans tache. Voici le moment de le reconnaître. Demeure donc ainsi en elle. Moi aussi je te la ferai découvrir ».

Avant que la respiration extérieure ne cesse, on répète plusieurs fois ces mots à l'oreille du mourant pour en imprégner son esprit ! Après quoi lorsque la respiration est sur le point de s'arrêter, on tourne le défunt sur son côté droit dans la position du lion couché [10]. Cette position empêche la circulation du souffle dans le canal des émotions perturbatrices. Puis l'on comprime fortement les deux artères jusqu'à ce qu'elles cessent de battre et que survienne une sorte d'état de sommeil [11]. Lorsque le souffle (prana) s'est retiré dans le canal subtil central et qu'il ne peut plus retourner dans les canaux latéraux, il est certain qu'il sort alors par l'orifice de Brahma *. Maintenant on fait reconnaître au mort ce qui lui apparaît, par la lecture : en ce moment, le premier bardo appelé la luminosité de la Vérité en soi, la connaissance du Corps de Vacuité, non dénaturé, apparaît dans l'esprit de tous les êtres. C'est dans l'intervalle qui s'écoule entre l'arrêt de la respiration extérieure et la cessation du courant interne que le souffle s'engouffre dans le canal central. Communément les gens disent que la conscience du mort s'est évanouie. La durée de ce processus est variable. Elle dépend des capacités physiques et spirituelles du mort, de l'état de ses canaux subtils. Pour ceux dont l'esprit est stabilisé dans la pratique de Samatha ** et pour ceux dont les canaux subtils sont sains, cet instant peut durer longtemps. Il faut alors continuer avec zèle l'application jusqu'à ce qu'un liquide jaunâtre apparaisse aux ouvertures des organes. Pour ceux qui sont pleins de fautes et dont les canaux subtils sont impurs, cet instant ne dure

* Brahmarandhra : orifice au sommet du crâne à huit doigts de la racine des cheveux. Il est la porte d'accès à la délivrance du cycle des existences.

** Samatha : la méditation qui pacifie les émotions qui troublent la lucidité de l'esprit et l'établit dans la stabilité.

pas même l'instant d'un claquement de doigts ! Pour certains, il ne dure pas plus que le temps de la consommation d'un repas. La plupart des sutras et des tantras enseignent que l'on s'évanouit pendant trois jours et demi. Dans la plupart des cas, cet état dure en effet trois jours et demi pendant lesquels il faut avec persévérance faire reconnaître la claire lumière, luminosité de l'esprit.

La disposition de l'esprit de l'éveil

Commentaire. — La disposition de l'esprit de l'éveil (skr. bodhicitta) est la caractéristique du bouddhisme Mahayana, en particulier du Boddhisattva qui réalise cette disposition d'esprit de l'éveil grâce à son effort éthique et spirituel. En quoi consiste donc cette disposition d'esprit ? Brièvement et simplement dit, elle consiste en la ferme intention de pratiquer le Dharma pour la réalisation de tous les êtres. Cette intention trouve son fondement dans la compassion du Boddhisattva pour l'épanouissement de tous les êtres. Pour pouvoir montrer ce chemin de libération, il faut un savoir extrêmement étendu, autant pratique que pédagogique. Le Boddhisattva doit atteindre lui-même l'illumination pour pouvoir enseigner les êtres de la meilleure façon, chacun selon ses capacités propres. Comme chaque adepte du bouddhisme Mahayana n'a pas la force morale et spirituelle de mettre son existence personnelle totalement au service de tous les êtres, il existe un stade préliminaire consacré à l'exercice de cette disposition d'esprit. A tous les êtres, de tout son cœur, on souhaite joie et paix, repoussant tout ce qui pourrait provoquer leurs souffrances. Chaque mérite que l'on s'est acquis en faisant une bonne action pour le salut de quelqu'un, est offert et consacré précisément au bien de tous les êtres. La poursuite de ce but très élevé permet à l'adepte du Mahayana d'atteindre l'illumination.

Fin du commentaire

Mode d'application : Si le mort le peut, il utilisera lui-même les instructions données auparavant. Mais au cas où il n'aurait pas cette force, le Lama ou un frère spirituel avec qui le mourant était très lié, doit réciter près de lui ces paroles : « Maintenant voici le signe que l'élément terre se transforme en élément eau, l'élément eau en élément feu, l'élément feu en élément air et l'élément air en conscience *. Ainsi les signes extérieurs sont clairement indiqués dans l'ordre. » Lorsque les symptômes de la mort sont sur le point d'être tous réalisés, on exhorte le mort à atteindre la disposition de l'esprit de l'éveil[12]. Chuchotant doucement à son oreille, on dit : « Noble fils (ou si c'était un Lama, Vénérable Seigneur), ne laisse pas ta pensée se distraire ! » Si le mourant était un frère spirituel ou quelque autre personne, on l'appelle par son nom en lui disant « Noble fils, tu es parvenu ici maintenant à ce qu'on appelle la mort, prends la disposition de l'esprit de l'éveil de la manière suivante : " Hélas, maintenant que pour moi est venue l'heure de la mort, je ne veux, grâce à l'avantage de cette mort, qu'éveiller en moi l'amour, la compassion et la disposition d'esprit de l'éveil. Puissé-je pour le bien de tous les êtres qui s'étendent jusqu'aux confins de l'espace, atteindre ainsi le parfait éveil et l'épanouissement appelé état de Bouddha. " Tandis que tu penses cela et que tu développes l'esprit de l'éveil, tout particulièrement si tu veux que ta mort serve le bien de tous les êtres, il faut que tu reconnaisses le Corps de Vacuité. En vertu de la

* Sat Vijnana : il s'agit littéralement de la conscience fragmentaire caractéristique de l'esprit sous l'emprise de l'ignorance.

nature de cette lumière, tu obtiendras le sublime accomplissement : le Grand Symbole * et ce sera pour le bien de tous les êtres. Mais si tu ne devais pas atteindre la plus haute réalisation, reconnais l'état intermédiaire comme tel et réalise ainsi l'union de ce qui est perçu, soit le bardo, et de celui qui perçoit. Cette union est le Grand Symbole[13] et tu accompliras le bien de tous les êtres qui s'étendent jusqu'aux confins de l'espace en leur apparaissant spontanément sous la forme qui convient à la perception de chacun. Sans pour autant interrompre la pensée de la disposition de l'esprit de l'éveil, rappelle-toi les pratiques de méditation que tu as exercées de ton vivant. »

On prononce ceci très distinctement à l'oreille du mort et on l'aide à se rappeler ses exercices passés afin qu'il ne tombe pas un seul instant dans la distraction.

Vue pénétrante de la lumière fondamentale

Commentaire. — La vue pénétrante est une connaissance immédiate au sens propre du mot, c'est-à-dire sans intermédiaires. Elle est donc intuitive. La vue pénétrante fondamentale permet au mort de comprendre que la lumière est esprit. Il existe deux méthodes pour y parvenir :

1) lorsque la lumière est ressentie comme étant le Bouddha Amitabha

2) lorsque la lumière est vécue en tant que **Yi-dam.**

Il faut ici utiliser un concept pour lequel il n'existe malheureusement aucun mot européen approprié. Ce concept décrit

* Le Grand Symbole Mahamudra est appelé ainsi parce qu'il est proprement inexprimable et indescriptible. C'est l'ultime réalité, la véritable nature de toute chose.

le génie inné de l'homme qui est, d'une part, imbriqué avec l'être de l'homme au plus profond de lui-même mais, d'autre part, dépasse l'homme qu'il aide et guide en se tenant à ses côtés. Le Yi-dam enveloppe la nature de l'homme, il imprègne l'individu mais, en même temps, le dépasse par le fait qu'il participe également du divin. Ainsi, au Tibet, les Yi-dams sont la plupart du temps représentés dans des attitudes terrifiantes, munis des nombreux attributs de l'horreur. Cependant on les considère comme des Boddhisattvas profondément bons. Cette expression terrifiante représente son désir d'aider l'homme au plus vite et de le guider au mieux. La relation entre le Yi-dam et le croyant est scellée par une consécration tantrique, initiation après laquelle un lien intime subsiste pour toujours entre eux deux. Avalokitesvara dans le texte est décrit comme le Seigneur de Compassion ou comme celui qui est pleinement compatissant. Il est un des grands Boddhisattvas qui, dans leur effort pour montrer à tous les hommes le chemin de la libération de la souffrance, accomplissent une perfection surhumaine. Leur compassion est omniprésente et, en vertu d'une promesse qu'ils ont jurée solennellement par le passé, ils aident celui qui met sa confiance en eux et demande leur aide. Un Boddhisattva peut seulement influencer le croyant pour qu'il change son attitude intérieure et dépasse les tendances négatives de son karma.

Fin du commentaire

Lorsque la respiration extérieure est totalement arrêtée et que les artères connectées avec le sommeil sont fortement compressées, si c'est un Lama ou un ami spirituel[14] (kaliana-mitra = maître spirituel) plus important que celui qui parle, on prononce clairement ces mots : « Révérend Seigneur, l'apparition de la luminosité fondamentale * va se lever pour toi. Reconnais-la

* Luminosité : est ce qui fait apparaître tout phénomène, toute pensée, toute perception, toute chose. C'est la lucidité de l'esprit en tant que lumière.

comme telle : je t'en prie, pénètre dans cette pratique. » On le demande de cette manière. Pour les autres personnes, on dit les paroles suivantes : « Noble fils (un tel), écoute ! Maintenant la luminosité, la claire lumière de la Vérité en Soi, parfaitement pure, va t'apparaître. Tu dois la reconnaître. O noble fils, ta connaissance actuelle[15] en essence, est précisément cette vacuité* éblouissante. Elle n'est constituée d'aucune essence, aucune couleur, aucune substance. Elle n'a aucune caractéristique qui puisse être un point de référence. Elle est pure vacuité. Ceci est précisément la Vérité en Soi, c'est l'aspect féminin du Bouddha Primordial, Samantabhadhri[16]. Ton esprit n'est pas seulement vacuité, il est aussi connaissance non obstruée, lumineuse, éclatante. Et cette connaissance est l'aspect masculin du Bouddha primordial, Samantabhadra. Ton esprit qui n'est constitué de rien est donc, d'une part cette vacuité et, d'autre part, comme il connaît tout, il est cette connaissance. L'union de cette vacuité et de cette lucidité est le Corps de Vacuité, le Dharmakaya des Bouddhas. Ton esprit, indissociable de la vacuité et de la lucidité, cette grande masse lumineuse, ne naît ni ne meurt. Il est le Bouddha, Lumière immuable. Reconnais l'essence de l'esprit, cette essence immaculée comme étant le Bouddha. C'est à toi de regarder ainsi ton esprit. C'est pénétrer dans l'esprit du Bouddha.[17] »

Il faut répéter ceci clairement et distinctement trois à sept fois, premièrement afin que le mourant se rappelle les enseignements de son ancien Lama, deuxièmement afin qu'il reconnaisse l'essence pure de son propre esprit en tant que lumière, et troisièmement, se reconnaissant

* La vacuité : est la totale ouverture de l'esprit, le fait qu'il est vide de toute caractéristique limitative.

lui-même, pour qu'il soit libéré, n'étant ni différent du Corps de Vacuité, ni confondu avec lui. C'est par cela qu'on est libéré, en reconnaissant la première luminosité.

Même si l'on doute que le mourant ait compris la première luminosité, ce qu'on appelle alors la deuxième luminosité lui apparaît. Il faut environ un peu plus que le temps de la consommation d'un repas. La qualité du karma détermine la manière dont le souffle, s'étant engouffré dans le canal subtil latéral de droite ou de gauche, s'échappe par l'un ou l'autre des orifices du corps après la cessation de la respiration extérieure. Alors cette luminosité apparaît, ce qui provoque la clarté de la conscience. Comme cela a déjà été dit, cet état dure le temps de la consommation d'un repas, ensuite cela dépend de la qualité de ses fibres subtiles et du degré de ses exercices spirituels. A ce moment-là, la conscience émerge et le mort ne peut reconnaître s'il est vivant ou non ! Comme auparavant il voit ses parents et entend leurs pleurs et leurs lamentations. Dans cet intervalle les violentes apparitions dues au karma, et la peur des émissaires de la mort ne sont pas encore apparues, il faut donner les instructions.

Il faut ici indiquer une différence entre ceux qui sont spécialisés dans la pratique de la phase d'achèvement * de la méditation [18] et ceux qui sont spécialisés dans la phase de développement de la méditation [19]. Si le mort a spécialement pratiqué la phase d'achèvement, on l'appelle trois fois par son nom et on lui rappelle l'enseigne-

* La phase de développement de la méditation est celle au cours de laquelle on développe la connaissance que toute chose est la divinité (le Yi-dam) et la phase d'achèvement de la méditation est celle en laquelle cette connaissance trouve son achèvement en la vacuité.

ment de la luminosité précédemment expliqué. S'il a spécialement pratiqué la phase de développement, on lui lit le texte de pratique de l'aspect de Bouddha auquel il s'était voué (Yi-dam) : « Noble fils médite sur ton Yi-dam[20], plein d'une puissante aspiration, remets-t'en à ton Yi-dam. Il apparaît, mais n'a aucune nature propre, insaisissable et pourtant là, comme le reflet de la lune sur l'eau. Considère que cette divinité est dépourvue de toute matérialité ».

C'est ainsi qu'on enseigne clairement le mort. S'il est un être ordinaire, on l'entretient avec les paroles suivantes : « Médite sur le Seigneur de la Grande Compassion (Avalokitesvara) ! » Il est certain que, par une telle reconnaissance, on ne se laissera plus prendre aux illusions de l'état intermédiaire.

Deuxième partie

L'ÉTAT INTERMÉDIAIRE DE L'ÊTRE EN SOI

Commentaire. — Dans le premier état intermédiaire qui succède immédiatement à la mort, on peut sombrer dans la pire inconscience, au point que la meilleure possibilité de vue pénétrante de l'essence véritable de l'apparition après la mort est perdue inutilement. Pendant cette première phase après la mort, seuls ceux qui disposent d'un entraînement sérieux et d'une expérience peuvent voir la lumière fondamentale dans toute sa clarté. Ils sont aussi capables de faire durer plus longtemps cet état alors que, pour les autres, il ne dure, comme dit le texte, que le temps d'un claquement de doigts.

La Vérité en Soi qui, dans le premier état intermédiaire, se révèle comme la lumière fondamentale invisible, se répand alors de cinq manières différentes. Les cinq sagesses du Bouddha, souvent décrites comme les Jinas, apparaissent au mort dans une auréole de lumière étincelante et éblouissante. Afin de bien montrer que l'univers en entier est contenu dans ces cinq sagesses, pour autant que cela puisse être saisi par un être humain, chacun des cinq Bouddhas correspond à une direction particulière du ciel, à une couleur, à un emblème, à une monture, un élément et un aspect particulier de l'existence, qui dépendent tous d'une direction particulière du ciel.

Une sagesse caractéristique sera attribuée à chaque Bouddha, uni à une compagne féminine qui l'embrasse. Chaque Bouddha sera également accompagné de Boddhisattvas féminins et masculins. Mais tout cela n'indique pas encore tous les rapports qui correspondent aux cinq Bouddhas. En effet, ceux-ci comportent en eux l'impur, les cinq poisons : la colère-haine, l'ignorance, la jalousie, le désir-attachement et l'orgueil qui sont sublimés en cinq sagesses. Il en est de même pour les cinq propriétés de l'existence (forme, sensation, perception, impulsions et conscience).

Cette représentation est fondée sur une conception du bouddhisme tantrique : dans toute expérience excessive, passionnée ou aveugle, l'expérience de son contraire est incluse, pour autant que cette expérience soit suffisamment intense et dénuée de toute idée préconçue du bien. C'est ainsi qu'il faut comprendre toutes les absurdités apparentes que contiennent les biographies des mystiques tantristes qui commettent les actes les plus impurs et sont en même temps pleins de pureté. Le tantrisme cherche de cette manière à changer en expérience existentielle la philosophie de l'enseignement Madhyamika qui voit se briser, à cause de sa relativité, chaque facette d'un phénomène. Le tableau ci-inclus essaie de donner une vue générale de cette vision des cinq sagesses des Bouddhas.

La visualisation de chaque Bouddha est suivie de prières utilisant deux métaphores qui pourront surprendre au premier abord. Il s'agit de la lumière irradiée par le Bouddha, comparée à un crochet. Cette image provient de l'iconographie hindoue et signifie le crochet d'un cornac. Cet accessoire est également l'attribut des dieux hindous puisque le dieu conduit l'homme au-delà des malheurs et des dangers, comme le cornac avec son crochet conduit l'éléphant. C'est dans ce sens qu'est utilisée ici l'expression « crochet de délivrance ».

Lorsque à la fin de la visualisation, le Bouddha est appelé à l'aide, cela signifie que la compagne féminine du Bouddha « est invitée à me pousser par-derrière ». En effet, les Tibétains se représentent volontiers le passage à travers l'état intermédiaire comme une expérience dangereuse à travers les montagnes, les précipices et les gorges profondes. L'aide du Bouddha est symbolisée par une image parlante. Le Bouddha se tient debout au haut du précipice avec son crochet de délivrance. Avec compassion il retire l'être de l'abîme de l'état intermédiaire. Tandis que la mère-divine (Yum) qui est unie au Bouddha pousse par-derrière, afin que l'être soit sauvé. Par-devant et par-derrière, flanqué d'une puissante aide, le mort peut ainsi sans crainte et en toute confiance se remettre à son guide le Bouddha.

Fin du commentaire

Nom du Bouddha	VAIROCANA	AKSOBHYA	RATNASAMBHAVA	AMITABHA	AMOGHASIDDHI
sa couleur	blanche	bleue	jaune	rouge	verte
sa parèdre	Akasadhatesvari	Bouddhalocana	Mamaki	Pandaravasini	Samayatara
direction du ciel	central	est	sud	ouest	nord
émotion perturbatrice qu'il transmute	ignorance	colère-haine	orgueil	désir-attachement	jalousie
suprême connaissance correspondante	sphère de tout objet de connaissance	sagesse semblabe au miroir	équanimité	discrimination	accomplissement spontané des actes
emblème	Roue	Vajra	Joyau	Lotus	double Varja
les cinq Agrégats formant l'individualité	conscience	forme	sensation	conception	impulsions
états d'être dont il libère	dieux	états infernaux	humains	esprits avides	titans ou antidieux anti-dieux

Tableau du Pentacle des Bouddhas de l'Équanimité

Introduction

Celui qui n'a que peu d'entraînement spirituel ne peut atteindre aucune clarté dans l'état intermédiaire, même si, de son vivant, un Lama lui avait donné les enseignements nécessaires. C'est pourquoi un Lama ou un frère spirituel doit l'aider. Cette lecture est aussi nécessaire pour celui qui, à cause d'une maladie violente est égaré au point qu'il ne peut plus se remémorer son enseignement précédent, même s'il l'avait suivi avec assiduité. Et celui qui, auparavant, avait une maîtrise de l'enseignement spirituel mais a rompu son lien initiatique avec son Lama, a obligatoirement besoin de la lecture, puisque depuis qu'il a manqué à son vœu inviolable, il fait partie de ceux qui devront subir à nouveau un état d'existence misérable.

Le mieux est de reconnaître la lumière dès le premier état intermédiaire. Si le mort ne la reconnaît pas, il sera libéré dans le second état intermédiaire pour autant que sa conscience se réveille grâce à l'aide d'une lecture distincte. Dans le second état intermédiaire appelé le

pur corps illusoire[21], l'esprit très clair demeure dans l'incertitude d'être ou non vivant.

Si le mort comprend alors l'enseignement, il reconnaît la Vérité en Soi-Mère s'unissant à la Vérité en Soi-Fils *. Le karma ne peut rien y changer. Ainsi par exemple, comme les rayons du soleil dissipent les ténèbres, la claire lumière de la vie spirituelle dissipe la puissance du karma et l'on atteint la libération. Alors se lève pour le corps-mental[22] le second état intermédiaire. La conscience du mort erre comme auparavant autour du cadavre et peut écouter. Si à ce moment-là, le mort comprend l'enseignement, alors le but est atteint. Comme les illusions du karma ne sont pas encore apparues, le mort peut encore être influencé en bien.

Le mort sera libéré s'il reconnaît la lumière du second état intermédiaire, même s'il n'a pas reconnu la lumière fondamentale. Mais s'il n'est pas libéré, il passe alors au troisième état intermédiaire. C'est le bardo où apparaît la Vérité en Soi, le bardo des apparences illusoires produites par le karma. Il faut alors absolument lire : *La Grande Vue Pénétrante de l'État Intermédiaire de la Vérité en Soi*[23], car ce traité est agissant et bénéfique. A ce moment-là, les proches du mort pleurent et se lamentent, lui retirent sa part de nourriture, emportent ses vêtements, disposent de sa couche. Il entend leurs appels mais eux ne l'entendent pas. C'est pourquoi il s'en va avec mélancolie.

* La Vérité en Soi-Fils est une réalisation à laquelle on est parvenu de son vivant. La Vérité en Soi-Mère est celle qui est telle depuis toujours.

Instruction pour la vue pénétrante pendant le second état intermédiaire

A ce moment-là, le mort perçoit les sons, la lumière et les rayonnements. La crainte, la peur et l'épouvante le paralysent. C'est pourquoi il faut lire alors *La Grande Vue Pénétrante de l'État Intermédiaire.* On appelle le mort par son nom et les mots suivants sont lus clairement et distinctement :

« Noble fils, écoute attentivement. »

Il existe six sortes d'états intermédiaires ou bardos, à savoir :

— l'état intermédiaire du règne d'existence ;
— l'état intermédiaire du rêve ;
— l'état intermédiaire de la méditation profonde ;
— l'état intermédiaire de la mort ;
— l'état intermédiaire de la Vérité en Soi ;
— l'état intermédiaire du devenir [24] (apparition de tous les facteurs interdépendants).

« Noble fils, maintenant tu vas expérimenter trois états intermédiaires, celui de l'heure de la mort, celui de la Vérité en Soi et celui du devenir. Jusqu'à hier, tu étais dans le bardo du moment de la mort et quoique la luminosité de la Vérité en Soi te soit apparue, tu ne l'as pas reconnue. Tu dois donc à nouveau errer ici. Mais à présent, tu vas expérimenter l'état intermédiaire de la Vérité en Soi et celui du devenir. Reconnais sans distraction tout ce que je te montre.

Noble fils, ce qu'on appelle la mort est arrivé pour toi. Tu dois t'en aller au-delà de ce monde. Il n'y a pas que toi à qui cela arrive. C'est le sort de tous. Ne t'accroche pas à cette vie. Même si tu t'y attaches, tu n'as pas le pouvoir de demeurer ici. Il ne te reste rien d'autre que d'errer dans le cycle des existences. Ne t'y attache pas. Souviens-toi des Trois Rares et Sublimes.

Noble fils, même si l'apparition de l'état intermédiaire de la Vérité en Soi t'effraie ou te terrorise, n'oublie pas ces paroles. Va de l'avant, imprègne-toi de la signification de ces mots. Ceci est un point clef de l'enseignement :

> « *Hélas ! tandis qu'apparaît en moi l'état intermédiaire de la Vérité en Soi, et que j'ai repoussé la peur et l'angoisse, il faut que je reconnaisse tout ce qui s'élève comme étant mes propres projections : la manifestation du bardo. Arrivé à ce moment très important, puissé-je ne pas craindre les légions des divinités pacifiantes et courroucées qui sont mes propres projections.* »

Pendant que ces mots sont prononcés clairement et distinctement, leur signification s'actualise dans ton cœur. Ne l'oublie pas car le sens de cet enseignement est que tu reconnaisses dans chacune des apparitions, si horrible soit-elle, la manifestation de tes pensées.

Noble fils, maintenant que ton corps et ton esprit se séparent, la véritable apparence de la Vérité en Soi se montre pour toi subtile, claire, lumineuse, éclatante, impressionnante même, semblable au scintillement d'un mirage au-dessus d'une plaine en été. Ne crains rien, ne t'effraie pas, n'aie pas peur. C'est le rayonnement de ta réalité même, reconnais-le. Un puissant bruit retentit du centre de cette lumière. C'est le son de la Vérité en Soi, terrifiant et vibrant comme mille tonnerres. C'est le son propre à ta vérité même. Tu n'as pas à le craindre. Ne t'effraie pas, n'aie pas peur ! Tu disposes de ce qu'on appelle le corps-mental[25] venu des tendances inconscientes * de ton esprit. Comme tu n'as plus de corps de chair et de sang, tu n'as rien à craindre des sons, de la lumière et des rayonnements qui te parviennent puisque tu ne peux mourir. Il te faut seulement les reconnaître comme les manifestations de tes propres projections. Sache que c'est le bardo. Ainsi, ô noble fils, si tu ne reconnais pas tout ceci comme tes propres projections, quelles qu'aient été les pratiques que tu as accomplies de ton vivant parmi les hommes, si tu ne rencontres pas ces enseignements, tu auras peur des lumières, tu seras effrayé par les sons et terrifié par les rayonnements. Si tu ne connais pas la clef des instructions, tu ne reconnaîtras pas les sons, les lumières et les rayonnements et tu erreras dans le cycle des existences[26]. »

Vision des divinités paisibles

Vision de Vairocana

« Noble fils, depuis trois jours et demi tu es resté dans l'inconscience. Maintenant que tu sors de cette inconscience, voici quelles seront tes pensées : « Que m'est-il arrivé ? » C'est pourquoi il te faut reconnaître que tu es dans l'état intermédiaire ! A ce moment-là, le cycle des existences est renversé[27] et tout apparaît comme étant lumière et corps des divinités. Les cieux te paraissent d'un bleu clair.

La vision de Vairocana, le Très-Haut, se manifeste à toi maintenant. Du Royaume Céleste Central appelé la

* Les actes que l'on accomplit laissent un impact sur l'esprit : les tendances inconscientes qui déterminent nos perceptions et nous poussent à agir.

Diffusion des Grains de Lumière[28], il siège sur le trône du Lion, de couleur blanche, tenant en sa main la roue à huit rayons et enlaçant la mère divine[29], Akasadhatesvari, souveraine de l'espace céleste. Ils sont bouche à bouche. L'agrégat de conscience étant purifié, la lumière bleu clair qui est la sagesse fondamentale de la sphère de tout objet de connaissance[30], jaillit devant toi, claire, transparente, brillante et lumineuse. Du cœur du divin Vairocana et de la mère, cette lumière te frappe si soudainement que tes yeux peuvent à peine en soutenir l'éclat.

Accompagnant cette lumière, une pâle lueur du monde des dieux, blanchâtre et terne te frappera. A cause de ton mauvais karma, tu chercheras, à ce moment-là, à fuir la lumière bleu clair, éclatante, qui est la sagesse de la sphère de tout objet de connaissance. Tu ressentiras la peur et l'angoisse. Par contre, la terne lueur du monde des dieux t'attirera agréablement... A ce moment-là, tu ne dois pas avoir peur de la lumière bleu clair éclatante et transparente ; c'est la lumière de la sagesse suprême. Ne crains rien ! On l'appelle la lumière du Tathagata *, elle est la lumière fondamentale de la sphère de tout objet de connaissance. Mets ta foi en elle, abandonne-toi en elle, pense qu'elle est la lumière de la compassion de Baghavan ** Vairocana ! Supplie-la ! Le Baghavan Vairocana est venu te tirer des passages difficiles de l'état intermédiaire. C'est la lumière de la compassion de Vairocana. N'aspire pas à

* Tathagata : nom du Bouddha signifiant « celui qui s'en fut ainsi », signifie aussi « en la quiddité ».

** Baghavan : tibétain « tchom den dai » : litt. « qui a subjugué (tchom) tous les démons (émotions perturbatrices, etc.) et qui possède (den) toutes les qualités et la félicité et qui est au-delà (dai) du cycle des existences et de la quiétude.

la lueur du monde des dieux, blanchâtre et terne, n'y aspire pas, ne la désire pas, ne t'y attache pas ! Si tu t'y attaches, tu erreras dans les états divins, tournant dans les six états d'existence[31]. Cette lueur blanchâtre étant un obstacle à la voie de la libération, ne tourne donc pas ton regard vers elle, regarde la lumière bleu clair, brillante, appelle-la et, plein d'aspiration envers Vairocana, adresse avec ferveur cette prière que tu répéteras après moi :

> « *Hélas ! maintenant que j'erre à cause de mon profond aveuglement dans le cycle des existences, que sur le chemin de lumière qui fait apparaître la sagesse de la sphère de tout objet de connaissance, le Baghavan Vairocana me guide en avant ! Que sa sublime parèdre Akasadhatesvari (souveraine de l'espace céleste) me pousse par-derrière. Libérez-moi du chemin périlleux des peurs de l'état intermédiaire et conduisez-moi à la bouddhéité parfaite.* »

Ayant dit cette prière avec une profonde vénération, tu dissous les lumières d'arcs-en-ciel[32] issues du cœur de Vairocana et de sa parèdre. Et dans le Royaume Céleste Central appelé le Profond Déploiement[33], tu deviendras Bouddha en le Corps de Jouissance[34] (de toutes les qualités). »

Vison de Vajrassattva Aksobhya

« A cause de tes actes nuisibles et des voiles qui recouvrent ton esprit, effrayé par la lumière, tu t'enfuis et, malgré ta prière, tu es dans la confusion. Le second jour, les légions célestes de Vajrasattva ainsi que les actes nuisibles de l'état infernal viendront alors au-devant de toi. »

Puis pour conduire le mort à la vue pénétrante, on l'appelle par son nom, en prononçant les paroles suivantes :

« Noble fils, écoute sans distraction ! Une lumière blanche qui est la sublimation de l'élément eau t'apparaît le second jour, simultanément avec la vision du Très-Haut Vajrasattva Aksobhya du Royaume bleu lumineux de l'Est appelé l'Actualisation de la Joie[35]. Vajrasattva au corps bleu, tenant à la main le vajra à cinq branches, est assis sur un éléphant ; il est bouche à bouche avec la mère divine, Bouddha Locana. Ils sont entourés des Boddhisattvas masculins Ksitigarbha et Maitreya et des Boddhisattvas féminins Lasya et Puspa. Ainsi t'apparaîtront ces six aspects du Bouddha.

La **Sagesse** fondamentale[36] **semblable au miroir** et agrégat de la forme purifiée est une lumière blanche transparente et éclatante jaillissant du cœur du divin père Vajrasattva et de sa parèdre. Elle t'éblouit au point que tu ne peux la regarder. Une terne lueur gris fumée te parvient simultanément avec cette lumière blanche de la sagesse fondamentale. A cause de la haine et de la colère que tu portes en toi, tu seras effrayé par la lumière blanche et tu voudras fuir. Au contraire tu te sentiras attiré par la terne lueur ténébreuse gris fumée. C'est à ce moment qu'il te faut ne pas craindre la lumière blanche, la clarté éclatante, mais au contraire la reconnaître comme celle de la sagesse fondamentale ! Mets en elle ta foi et abandonne-toi en elle. C'est le rayonnement de la compassion du Baghavan. Pense avec foi : « En elle, je prends refuge ! » Adresse-lui tes prières car il est bien le Baghavan Vajrasattva venu pour te délivrer de la crainte et de la terreur de l'état intermédiaire. Appelle cette lumière, elle est le crochet des rayons de la compassion de Vajrasattva par lequel il te sauve. Ne te laisse pas attirer par la terne lueur ténébreuse gris fumée, c'est le chemin qui t'est offert venant de tes actes nuisibles et des voiles qui recouvrent ton esprit, accumulés par une violente colère. Ne t'y attache pas, sans quoi tu tomberas dans les états infernaux où tu subiras des souffrances et des misères intolérables, sans que vienne rapidement le temps d'en sortir. C'est un obstacle sur la voie de la libération. C'est pourquoi ne sois pas attiré par tout cela, ne le regarde pas, ne t'y attache pas, abandonne ta colère, ta haine. Mets ton espoir en la lumière blanche, claire, transparente et éclatante. Plein de dévotion, adresse-toi au Baghavan Vajrasattva et prononce cette prière :

> « *Hélas, tandis que j'erre à cause de ma profonde colère-haine, dans le cycle des existences, sur le chemin de la lumière qui fait apparaître la suprême connaissance semblable au miroir, que le Baghavan Vajrasattva me guide et que la mère divine Bouddha Locana me pousse par-derrière. Je vous en supplie, libérez-moi des horribles abîmes du sentier de l'état intermédiaire. Conduisez-moi vers la pure et parfaite Bouddhéité.* »

Adressant cette prière avec une grande foi et une profonde dévotion, l'on est dissous en la lumière d'arcs-en-ciel du cœur du Baghavan Vajrasattva. Et dans le Royaume Céleste Oriental appelé l'Actualisation de la Joie, tu deviendras un Bouddha en le Corps de Jouissance (de toutes les qualités). »

Vision de Ratnasambhava

Ceux dont l'orgueil est puissant et qui, ayant accompli de nombreux actes nuisibles, ont d'épais voiles en leur esprit, seront effrayés par les crochets lumineux de la compassion des Bouddhas et ils s'enfuiront malgré la chance qu'ils avaient d'obtenir la vue pénétrante. C'est pourquoi le troisième jour, les légions célestes de Ratnasambhava et le chemin de lumière conduisant à l'état humain, se présentent à la fois au mort. Il s'agit à nouveau de l'amener à la vue pénétrante.

On l'appelle par son nom, disant :

« Noble fils, écoute sans aucune distraction. Maintenant que le troisième jour est arrivé, brillera une lumière jaune qui est l'aspect pur de l'élément air. A ce moment-là, venant du Royaume Céleste du Sud appelé la Gloire Éclatante, le Baghavan Ratnasambhava apparaît de couleur jaune, tenant en sa main un précieux joyau et assis sur un magnifique trône fait de chevaux. Il est bouche à bouche avec la mère divine Mamaki. Il est entouré de Boddhisattvas masculins, Akasagarbha et Samantabhadra, et des Boddhisattvas féminins, Mala et Dhupa. De la sphère de lumière [37] de rayons et d'arcs-en-ciel t'apparaîtront les six aspects de Bouddha. L'agrégat de la sensation purifié en la vacuité est la lumière jaune, la suprême **connaissance de l'équanimité** [38]. Elle brille de l'éclat de l'accumulation de nombreux grains de lumière indéfiniment ordonnés les uns dans les autres. Leur clarté est si brillante que l'œil ne peut les regarder. Cette lumière jaune provenant du cœur du divin père Ratnasambhava et de la mère divine t'atteint si directement que tu n'en peux supporter la vue. Simultanément avec cette lumière de sagesse, la lueur bleue de l'état humain t'atteint au cœur. A cause de ton orgueil, tu éprouves pour elle de l'attirance et cela suscite ta crainte de la lumière jaune rayonnante et éclatante, au point que tu voudrais la fuir. Mais pendant que tu éprouves de la joie et de l'inclination pour cette lueur bleu terne, il te faut précisément ne pas craindre la lumière jaune clair transparente et rayonnante, et reconnaître en elle la sagesse fondamentale. Laisse ton esprit demeurer en elle dans le non-agir[39], ou bien sois rempli d'aspiration et de foi envers elle. Si tu la reconnais comme étant l'éclat inhérent à ton propre esprit, même si tu n'éprouves ni aspiration ni adoration envers elle, et même si tu ne fais pas de prière, tu te dissoudras et deviendras inséparablement uni aux Corps des Bouddhas et à leur lumière et seras ainsi devenu Bouddha. Mais si tu ne reconnais pas cette lumière comme le rayonnement fondamental de ton propre esprit, prie alors avec une profonde vénération en disant « Ceci est le rayonnement de la compassion de Baghavan Ratnasambhava, en qui je prends refuge ». Vénère le crochet de la lumière de compasssion de Baghavan Ratnasambhava. Ne sois pas attiré par la terne lueur bleue de l'état humain. N'y trouve aucune joie. Elle est le chemin malheureux de tes inclinations latentes accumulées par ton orgueil qui vient à ta rencontre. Si tu t'y attaches, tu chuteras dans l'existence humaine où tu es assuré de souffrir la naissance, la vieillesse, la maladie et la mort, sans espoir de t'en libérer. Ne tourne pas ton regard vers cet obstacle à ta libération. A cette occasion, abandonne ton orgueil et tes inclinations latentes. Ne t'accroche pas, ne t'attache pas à cette lueur. Sois rempli d'aspiration envers l'éclatante lumière jaune clair et lumineuse, en te concentrant sur Baghavan Ratnasambhava, prononce cette prière :

> « *Hélas, maintenant que j'erre dans le cycle des existences sous le pouvoir d'un violent orgueil, que sur le chemin de lumière qui fait apparaître la sagesse fondamentale de l'équanimité, le Baghavan Ratnasambhava me guide et que sa sublime parèdre Mamaki me pousse par-derrière, délivrez-moi du sentier vertigineux des peurs de*

l'état intermédiaire, et conduisez-moi à la Bouddhéité pure et parfaite. »

Ayant terminé cette prière avec une parfaite dévotion, tu es dissous en lumière d'arcs-en-ciel du cœur de Baghavan et de sa parèdre. Et dans le Royaume Céleste du Sud, appelé la Gloire Éclatante, tu atteindras l'état de Bouddha en le Corps de Jouissance (de toutes les qualités). Ainsi amené à la vue pénétrante, tu seras sans doute libéré, si modeste soit ton aptitude. »

Vision d'Amitabha

Mais il existe des hommes qui ne réalisent toujours pas la vue pénétrante bien qu'ils aient été déjà plusieurs fois confrontés à elle, soit qu'ils aient rompu leurs vœux initiatiques, soit qu'ils aient accompli de grands actes nuisibles. Agités par ces actes nuisibles, par les voiles qui recouvrent leur esprit et leurs désirs, ils seront effrayés par les sons et la lumière, et ils s'échapperont. C'est pourquoi le quatrième jour, à la fois les légions célestes de Baghavan Amitabha et la luminosité de l'état des esprits avides[40] constitués par le désir et l'avarice, viennent à la rencontre du mort.

A nouveau le mort doit parvenir à la vue pénétrante. On l'appelle par son nom, disant :

« Noble fils, écoute sans distraction. Au quatrième jour t'apparaît la lumière rouge qui est la forme sublimée de l'élément feu. A ce moment-là, dans le Royaume Céleste de l'Ouest appelé les Champs de Félicité[41], Baghavan Amitabha t'apparaît de couleur rouge, assis sur un trône de paon, tenant à la main la fleur de lotus, bouche à bouche avec la mère divine, Pandaravasini en vêtements blancs.

Ils sont accompagnés par les deux Boddhisattvas masculins, Avalokitesvara et Manjusri et les deux Boddhisattvas féminins, Kirti et Aloka, si bien que de l'étendue de la lumière d'arcs-en-ciel t'apparaissent les six aspects de Bouddha. L'agrégat de conception purifié de lui-même [42] est une lumière rouge, la lumière de la suprême **connaissance discriminative** qui brille éclatante et constellée de grains lumineux les uns à l'intérieur des autres, et elle jaillit du cœur d'Amitabha le divin père et du cœur de la mère divine ; dardant ses rayons, pour toi presque insupportables, elle te touche au cœur.

Mais simultanément, avec cette lumière de la sagesse, paraît la terne lueur jaune du monde des esprits avides. Ne te sens pas attiré par elle, renonce à tout attachement. A ce moment-là, sous le pouvoir violent de tes désirs et de tes attachements, effrayé par l'éblouissante lumière rouge, tu la fuiras. Et tu seras attiré par la lueur jaune du monde des esprits avides. A ce moment-là, il ne faut pas craindre la lumière rouge au rayonnement lumineux mais il faut reconnaître qu'elle est la sagesse fondamentale ! Laisse alors ton esprit s'y détendre profondément, demeurant dans le non-agir, ou aie confiance et sois rempli d'aspiration. Si tu la reconnais comme ton propre rayonnement, même si tu n'as pas pratiqué la dévotion et si tu n'as pas prononcé la prière, tu te fondras en cette lumière et en ces corps et tu deviendras Bouddha.

Si tu ne sais pas faire cela, prie avec zèle et dévotion en pensant : " Ceci est la lumière de compassion d'Amitabha. En lui je prends refuge ! " Voici le crochet de délivrance de la compassion d'Amitabha. Plein de vénération, abandonne-toi en lui. Ne fuis pas cette lumière, même si tu la fuyais, tu ne pourrais t'en séparer. Ne crains rien !

Ne te laisse pas attacher par la terne lueur jaune du monde des esprits avides. Cette lueur est le chemin qui t'est tracé par toutes les tendances inconscientes accumulées sous le pouvoir de tes violents désirs et attachements. Si tu t'y laisses prendre, tu tomberas dans les états d'existence des esprits avides et tu seras lié par les souffrances intolérables de la faim et de la soif. Ceci étant un obstacle à la voie de la libération, n'y aspire pas, mais, au contraire, renonce à ce penchant. Ne t'attache pas, abandonne-toi à la lumière rouge dont la clarté est rayonnante. En te concentrant sur Amitabha le Baghavan et sa parèdre, prononce cette prière :

> « *Hélas, maintenant que j'erre dans le cycle des existences, à cause de mes violents désirs et attachements, que sur le chemin de lumière qui fait apparaître la discrimination, le Baghavan Amitabha me guide et que sa sublime parèdre Pandaravasini me pousse par-derrière. Je vous en prie, sauvez-moi de ce sentier vertigineux des peurs du bardo, conduisez-moi à la Bouddhéité pure et parfaite.* »

Ayant dit cette prière avec dévotion, tu te dissous dans la lumière d'arcs-en-ciel du cœur du Baghavan Amitabha et sa parèdre. Et dans le Royaume Céleste de l'Ouest appelé les Champs de Félicité, tu deviendras Bouddha en le corps de Jouissance de toutes les qualités. Il n'est pas possible de ne pas être par là libéré. »

Vision d'Amoghasiddhi

Même si on veut de cette manière amener le mort à la vue pénétrante, il y a encore des êtres qui sont effrayés par les sons et les lumières à cause de leurs penchants latents et de leurs longues habitudes, de leur jalousie et de leurs actes nuisibles. Du fait qu'ils ne peuvent renoncer à leurs penchants latents, ils n'ont pas été sauvés par le crochet de la délivrance de la compassion, et doivent errer jusqu'au cinquième jour de l'état intermédiaire. A ce moment-là arrivent les légions célestes d'Amoghasiddhi le Baghavan, dardant les rayons lumineux de sa compassion pour accueillir le mort. Mais le sentier de la lumière d'Asura née de l'émotion perturbatrice qui est la jalousie, s'ouvre devant lui. Il est encore temps d'amener le mort à la vue pénétrante en l'appelant par son nom et en disant :

« Noble fils, écoute sans distraction ! Au cinquième jour apparaît la lumière verte de la forme sublimée de l'élément air. A ce moment-là, dans le Royaume Céleste du Nord, appelé l'Accumulation d'Actes Excellents[43], le Baghavan Amoghasiddhi apparaît de couleur verte avec les divinités de son entourage ; il tient le double Vajra cruciforme. Il est assis sur le magnifique trône des aigles, bouche à bouche avec la mère divine Samayatara. Il est entouré de deux Boddhisattvas masculins Vajrapani et Avarananiskambhin et de deux Boddhisattvas féminins Gandha et Nirtima, si bien que de la sphère d'arcs-en-ciel apparaissent six aspects de Bouddha. L'agrégat d'impulsion[44] est dans sa pureté de base une lumière verte. C'est la suprême **connaissance de l'accomplissement spontané** des actes, éblouissante, verte, lumineuse, claire, violente et effrayante, constellée de grains de lumière les uns dans les autres. Elle jaillit du cœur d'Amoghasiddhi et de sa parèdre, et le touche au fond du cœur. Ton œil peut à peine en supporter la lumière. Ne crains rien ! Ceci est le déploiement des potentialités inhérentes à la suprême connaissance de ton esprit qui se connaît lui-même. Demeure non-agissant dans l'équanimité en laquelle il n'y a ni attachement, ni aversion partiale. A ce moment apparaissent les radiations lumineuses de la sagesse fondamentale avec la terne lueur rouge du monde des Titans des Asuras, engendré par la jalousie. Médite sur l'équanimité sans attachement ni aversion. Mais si tu es faible, ne sois pas attiré par cette lueur. A cet instant, à cause de ta forte jalousie, tu vas être effrayé par cette lumière verte éclatante et tu chercheras à la fuir. Et tandis que tu te laisses attirer par la terne lueur rouge du monde des Titans, ne sois pas effrayé alors par la lumière verte à la clarté rayonnante, éclatante et transparente. Au contraire reconnais en elle la sagesse fondamentale. Détends-toi profondément en elle, laissant reposer ton esprit dans le non-agir, au-delà de toute intellection ou bien, pensant avec foi et dévotion : « Ceci est bien la lumière de la compassion d'Amoghasiddhi ! En lui, je prends refuge ! »

Et parce que précisément cette lumière de la compassion d'Amoghasiddhi se présente comme un crochet de délivrance que l'on appelle la sagesse fondamentale de l'accomplissement spontané des actes, vénère cette lumière. Ne la fuis pas. Même si tu la fuyais, tu ne pourrais t'en séparer. Ne crains rien, n'éprouve aucun attachement à la lueur rouge du monde des Titans. C'est le chemin qui t'est tracé par tous tes actes accomplis par une violente jalousie. Si tu t'y attaches, tu tomberas dans le monde des Titans où tu éprouveras d'intolérables souffrances, des combats, des disputes. Ceci est l'obstacle qui te barre la voie de la libération. C'est pourquoi, ne t'y laisse pas prendre. Renonce à cette envie. Abandonne tes tendances inconscientes. Vénère avec zèle la lumière verte à la clarté rayonnante, et prononce cette prière tout en te concentrant totalement sur le Baghavan Amoghasiddhi et sa parèdre :

> *« Hélas ! au moment où j'erre dans le cycle des existences, sous le pouvoir d'une puissante jalousie, que sur la voie de la lumière qui fait apparaître la sagesse de l'accomplissement spontanée des actes, le Baghavan Amoghasiddhi me guide et que sa sublime parèdre me pousse par-derrière.*
> *Je vous prie de me sauver du périlleux sentier des peurs du bardo, et de me conduire à la Bouddhéité pure et parfaite. »*

Ayant dit ces paroles avec une profonde dévotion, tu te dissous en la lumière d'arcs-en-ciel du cœur du Baghavan et de sa parèdre. Dans le Royaume Céleste du Nord, appelé le Parachèvement des Actions Excellentes[45], tu deviendras un Bouddha parfaitement accompli en le Corps de la Jouissance de toutes les qualités. »

Le mort ayant été amené à différentes reprises à la vue pénétrante, quel que soit le peu d'affinité qu'il ait avec ces enseignements, s'il ne les reconnaît pas la première fois, il les reconnaîtra ensuite. Il est impossible qu'il ne soit pas libéré.

Vision des cinq familles de Bouddhas[46]

Bien que confronté de nombreuses fois à la vue pénétrante, celui qui s'est laissé diriger depuis longtemps par ses inclinations et qui n'est que très peu habitué à la vision pure de la suprême connaissance, se laisse emporter par ses tendances inconscientes. Et n'étant pas saisi par le crochet lumineux de la compassion du Bouddha, effrayé, il est entraîné dans le tourbillon de ses illusions. Et le sixième jour, simultanément, apparaissent les divins père et mère des cinq familles de la réalisation spitituelle[47], accompagnés de leurs légions célestes. Au même moment les six lumières des six états d'être apparaissent également.

Pour amener le mort à la vue pénétrante, on l'appelle par son nom disant :

« Noble fils, écoute sans distraction. Jusqu'à hier, tu t'es laissé effrayer par tes inclinations mauvaises, bien que je t'aie guidé dans la reconnaissance des cinq familles de Bouddhas. C'est pourquoi tu demeures encore ici dans le bardo. Mais si tu avais reconnu plus tôt que le rayonnement propre à la suprême connaissance des cinq familles est ta propre projection, t'étant dissous en lumière d'arcs-en-ciel dans le corps du Bouddha de chacune des cinq familles, tu serais devenu Bouddha en le Corps de Jouissance du parachèvement de toutes qualités. Mais comme tu ne l'as pas reconnu, tu dois encore errer. Mais regarde maintenant au-devant de toi. C'est l'apparition des cinq familles au complet et celle de l'union des suprêmes connaissances. Reconnais-le enfin.

Noble fils, la lumière aux quatre couleurs des quatre éléments sublimés se lève pour toi. En ce moment, dans le Royaume Céleste Central appelé le Déploiement de Source Lumineuse[48], le Très Haut Vairocana le divin Père-Mère, t'apparaît comme auparavant. Du Royaume Céleste de l'Est, appelé l'Actualisation de la Joie[49], t'apparaît le Bouddha Vajrasattra, le divin Père-Mère. Du Royaume Céleste du Sud, appelé la gloire Éclatante[50], t'apparaît le Bouddha Ratnasambhava, le divin Père-Mère. Du Royaume Céleste de l'Ouest, appelé les Champs de Félicité[51] ou l'empilement de Lotus, t'apparaît le Bouddha Amitabha le divin Père-Mère. Du

Royaume Céleste du Nord, appelé le Parachèvement des Actes Excellents[52], t'apparaît dans une vaste étendue de lumière d'arcs-en-ciel, le Bouddha Amoghasiddhi le divin Père-Mère.

O noble fils, autour des divinités Père-Mère des cinq familles t'apparaissent maintenant les terrifiants gardiens du seuil : Vigaya (le vainqueur), Yamantaka (le destructeur de la mort), Hayagriva (le roi au cou de cheval), Amrtakundali (le tourbillon de nectar), avec les gardiennes du seuil, Ankusa la déesse au crochet, Pasi la déesse au lasso, Srnkhala la déesse aux menottes, Ghanta la déesse aux clochettes et les six Bouddhas-prophètes : le prophète des dieux, le puissant Indra aux cent sacrifices ; le prophète des titans, Vemacitra ; le prophète des humains, Sakyasimha ; le prophète des animaux, Dhruvasimha ; le prophète des esprits arides, Jvalamukha ; le prophète des états infernaux, Dharmaraja ; (le roi de la loi) ; Samanta-Badri, et Samanta-Badra, ancêtres de tous les Bouddhas, t'apparaîtront également.

Ces quarante-deux déités qui sont la manifestation du Corps de Jouissance des Bouddhas surgissent de ton cœur comme l'expression de ton esprit à l'état pur. C'est pourquoi, reconnais-les !

O noble fils, les royaumes célestes n'ont pas d'existence localisée mais ne sont finalement que les divisions cardinales et le centre de ton cœur[53] d'où ils sortent pour t'apparaître. Les corps de ces déités ne proviennent pas non plus d'un autre lieu. Ils sont de toute éternité le déploiement des potentialités de ta propre connaissance. C'est pourquoi reconnais-les donc pour ce qu'ils sont.

Noble fils, ces déités ne sont ni grandes ni petites, mais de bonne proportion. Elles ont leurs parures, leur couleur, leur posture, leur trône et la position symbolique de leurs mains. Ces déités sont par groupe de cinq, chaque groupe étant entouré d'un halo de cinq couleurs. Il y a les aspects masculins qui sont les courageux héros[54] de la famille et les aspects féminins qui t'apparaissent tous parfaitement ensemble au même moment en un seul mandala*. Reconnais-les donc comme étant tes divinités de consécration**. Ce sont les Yi-dams.

Noble fils, du cœur des divinités Père-Mère, de ces cinq familles, brillent les quatre suprêmes connaissances d'un rayonnement éclatant ; tendues vers toi, comme les rayons du soleil, elles pénètrent chacune séparément dans ton cœur. Tu verras tout d'abord jaillir du cœur de Vairocana la suprême connaissance de la sphère de toute chose[55], d'un blanc éblouissant, comme un tissu de rayons lumineux brillants et terrifiants, allant du cœur de Vairocana au tien. Dans ce tissu de rayons se trouvent des grains de lumière aux quatre directions et au centre desquelles se répartissent indéfiniment des grains les uns à l'intérieur des autres. Ils sont comme des miroirs renversés et s'accumulent les uns dans les autres sans qu'il y ait à ce déploiement de centre ni de périphérie[56]. Du cœur de Vajrasattva t'apparaît un tissu de lumière bleue éclatante, qui est la suprême connaissance semblable à un miroir[57]. C'est une accumulation sans fin de grains lumineux tels des orbes les unes à l'intérieur des autres, semblables à des coupes de turquoises renversées. Du cœur de Ratnasambhava t'apparaît un tissu de lumière jaune éclatante qui est la

* Le mandala est l'ensemble formé par un centre et une périphérie, un principe et ses dérivés.

** Les Yi-dams sont les différents aspects de la nature éveillée de Bouddha auxquels on se voue pour comprendre par identification que nous sommes nous-mêmes Bouddha.

suprême connaissance de l'équanimité[58]. C'est une accumulation de grains lumineux semblables à des coupes d'or renversées les unes dans les autres. Du cœur d'Amitabha t'apparaît un tissu de lumière d'un rouge éblouissant qui est la suprême connaissance analytique[59]. C'est une accumulation d'orbes de lumières rouges semblables à des coupes de corail renversées à l'infini les unes dans les autres, au centre et dans les quatre directions de chacune d'entre elles, indéfiniment, de sorte qu'il n'y a plus ni centre ni périphérie. Tous ces tissus lumineux rejoignent ton cœur.

Noble fils, tout ceci vient du déploiement et de la potentialité inhérente à ta propre connaissance et ne vient pas d'ailleurs. N'aie donc ni attirance ni crainte. Détends profondément ton esprit en la non-conceptualisation. Dans cet état, toutes les formes divines et toutes les radiations lumineuses se fondront en toi et tu deviendras Bouddha.

Noble fils, la lumière verte de la suprême connaissance de l'accomplissement spontané des actes[60] ne t'illumine pas encore parce que les potentialités de ta suprême connaissance[61] n'ont pas encore atteint leur parachèvement.

Noble fils, c'est l'apparition des quatre suprêmes connaissances qui est appelée le chemin secret et intérieur, conduisant à Vajrasattva. A ce moment, remémore-toi les enseignements par lesquels ton Lama t'aidait pour la vue pénétrante et tu auras confiance dans ces apparitions qui te parviendront. Tu trouveras la vue pénétrante comme une mère retrouve son enfant ou comme on retrouve un ami. Et tu le feras sans le moindre doute. Comprenant qu'il s'agit de l'apparition de ton propre être, tu auras confiance pour suivre le chemin immuable de la Vérité en Soi parfaitement pure et ta confiance fera naître en toi la méditation continue, tu te fondras alors dans le corps de la grande connaissance spontanée et tu deviendras Bouddha en le Corps de Jouissance, sans crainte d'en jamais retomber.

Noble fils, avec la lumière de la suprême connaissance apparaîtra la luminosité de chacun des six états d'existence qui sont des productions illusoires et impures. Comment donc ? La terne lueur blanche des dieux, la terne lueur rouge des titans, la terne lueur bleue des humains, la terne lueur verte des animaux, la terne lueur jaune des esprits avides et la terne lueur gris fumée des états infernaux. Ces six lueurs apparaissent en même temps que la lumière des quatre sagesses. Ne t'empare d'aucune de ces lumières. N'y sois pas attaché, détends-toi profondément en l'absence de toute conception, sans aucun point de mire. Mais si tu as tout de même peur de la lumière de la suprême connaissance et que tu es attiré par les lueurs des six sortes d'existences impures, tu seras dans le désarroi, prisonnier du grand océan de souffrance de la ronde des existences, sans pouvoir t'en échapper.

Noble fils, si tu devais être un de ceux qui ne sont pas parvenus à la vue pénétrante malgré l'enseignement du Lama, et l'un de ceux qui ont peur de la lumière des déités de la pure connaissance et qui ont été attirés par les ternes lueurs des mondes impurs, cesse d'agir ainsi, tourne-toi enfin plein de dévotion vers la lumière rayonnante et étincelante de suprême connaissance. Sois rempli d'aspiration en pensant : « Cette lumière qui est celle de la suprême connaissance, vient de la compassion des Bouddhas des cinq familles, elle est venue pour me sauver. En elle, je prends refuge. »

Ne cède pas à l'attraction des six modes d'existence illusoire, mais rassemble tes esprits et concentre-toi sur les divinités Père-Mère des cinq familles et dit cette prière : ꔰ

> « *Hélas, au moment où j'erre dans la ronde des existences*
> *Sous le pouvoir des cinq poisons violents* *
> *Sur le chemin de lumière qui fait apparaître*
> *L'union des quatre suprêmes connaissances,*
> *Que les Baghavans des cinq familles de vainqueurs me guident,*
> *Que leur sublime parèdre me pousse par-derrière.*
> *Délivrez-moi du chemin montré par la lueur des six états impurs,*
> *Et m'ayant libéré du chemin vertigineux des peurs du bardo,*
> *Établissez-moi dans les cinq sublimes paradis.* » ꔰ

Ayant ainsi prié, les meilleurs reconnaîtront ces apparitions comme étant leurs propres projections et, se fondant en la non-dualité, ils seront Bouddhas. Les êtres aux facultés intermédiaires atteindront également la libération puisqu'ils reconnaissent[62] leur véritable nature grâce à leur profonde dévotion. Même les plus vils, par le pouvoir de leurs vœux parfaitement purs, verront se fermer les portes de la renaissance dans les six états d'existence. Et réalisant le sens de l'union des quatre suprêmes connaissances, ils parviendront à l'éveil en suivant le chemin de lumière qui conduit au sein de Vajrasattva. Clairement amenés l'un après l'autre à la vue pénétrante, la plupart des hommes trouveront la libération.

Vision des Détenteurs de la Connaissance

Les pires parmi les mauvais qui ont accompli des actes très nuisibles, n'ayant aucune inclination pour la reli-

* Attachement, aversion, aveuglement, orgueil, jalousie.

gion ou n'ayant pas été fidèles à leurs vœux à force d'illusions karmiques, ne peuvent arriver à la vue pénétrante, quoiqu'ils y aient été invités. Ils se trouveront obligés d'errer. Le septième jour, les légions célestes des détenteurs de la connaissance[63] viennent du Paradis * de la Jouissance de l'Espace[64] au-devant du mort. Mais le chemin de la lumière des animaux fruit de l'émotion de l'ignorance s'ouvre en même temps pour l'accueillir. Il représente l'ignorance aveugle de ses passions.

A ce moment-là, l'enseignement pour la vue pénétrante est le suivant, en disant le nom du mort :

« Noble fils, écoute sans distraction ! Le septième jour t'apparaîtra la lumière multicolore qui est celle de tes penchants naturels purifiés en la sphère de la vacuité. Alors les légions célestes des détenteurs de la connaissance viendront au-devant de toi, venant du paradis de la Jouissance de l'Espace.

Au centre du mandala rempli d'une lumière d'arcs-en-ciel, t'apparaît celui qu'on appelle le détenteur de la Connaissance **, l'insurpassable et pleinement développé Pemagargjiwangtschuk[65], le Seigneur de la Danse au Lotus. Son corps irradie les cinq couleurs. Il tient enlacée une Dakini rouge, divinité-mère. Il danse tenant une serpette et un crâne plein de sang, son geste symbolique (mudra) est de regarder l'espace tout entier.

A l'est de ce mandala t'apparaît le détenteur de la connaissance, Salanäpa[66] appelé Celui qui Séjourne sur la Terre. Son corps est de couleur blanche, il sourit et tient enlacée une Dakini blanche, mère-divine. Il danse, brandissant une serpette, tenant un crâne plein de sang.

* Paradis qu'est la connaissance pure.
** Sanscrit : Vidyādhara.

Son geste symbolique (mudra) est de regarder l'espace tout entier.

Au sud de ce mandala t'apparaît le détenteur de la connaissance Zelawangpa[67] appelé Celui qui a Plein Pouvoir sur la Vie. Son corps est de couleur jaune, il est d'une belle stature. Il tient enlacée une Dakini jaune, il danse brandissant une serpette et tenant un crâne plein de sang. Son geste symbolique (mudra) est de regarder l'espace tout entier.

A l'ouest de ce mandala apparaît le détenteur de la connaissance, Tschagjatschenpo[68], appelé le Grand Symbole. Son corps est de couleur rouge. Il sourit. Il tient enlacée une Dakini rouge, mère-divine. Il danse brandissant une serpette et tenant un crâne plein de sang. Son geste symbolique (mudra) est de regarder l'espace tout entier.

Au nord de ce mandala, apparaît le détenteur de la connaissance, Lhunggidupa[69], Celui qui Apparaît Spontanément. Son corps est de couleur verte. Il grimace et tient enlacée la mère, une Dakini verte. Il danse, brandit une serpette et tient un crâne plein de sang. Son geste symbolique (mudra) est de regarder l'espace tout entier.

Ce mandala des détenteurs de la connaissance est entouré d'innombrables légions de dakinis. Les dakinis des huit grandes nécropoles, les dakinis des quatre ordres spirituels, les dakinis des trois lieux des dix directions de l'espace, des vingt-quatre lieux de pèlerinage, des héros et des héroïnes, des émissaires, des protecteurs de l'enseignement du Bouddha et leurs gardiens. Ils sont tous parés des six ornements d'os et jouent du tambour sur des crânes, de la trompette sur des fémurs, portent des bannières, des dais et des rubans de peau humaine[70], faisant brûler des encens de chair humaine. Ils emplissent toutes les régions de l'univers qu'ils font retentir et trembler de leurs sons. Cette musique est si puissante qu'on croirait, à l'entendre, qu'elle vous fait éclater la tête. Ils arrivent en dansant tous différemment, accueillant ceux qui ont respecté leurs vœux et punissant de mort tous ceux qui les ont trahis.

O, noble fils, tes penchants naturels sont purifiés en la sphère de toute connaissance qui est la vacuité, suprême connaissance innée[71], cette lumière claire et transparente, tissée de fils aux cinq couleurs, jaillissant du cœur des cinq principaux détenteurs de la connaissance et illuminant ton propre cœur d'un état insupportable à tes yeux.

Simultanément apparaît la terne lueur verte du monde des animaux. Alors la force des illusions de tes penchants te fera avoir peur de la lumière aux cinq couleurs. Tu chercheras à fuir, te sentant au contraire attiré par la lueur terne du monde des animaux. C'est pourquoi, à ce moment-là, il ne te faut pas craindre la lumière aux cinq couleurs, rayonnante et éclatante, mais au contraire il te faut la reconnaître. Du sein de cette lumière, le son du Dharma[72], semblable à mille coups de tonnerre, retentit comme des cris de guerre et comme les mantras du courroux divin. N'aie pas peur, ne fuis pas, ne crains rien. Reconnais-les comme étant tes propres projections, le déploiement des potentialités inhérentes à ton propre esprit. Ne te laisse pas attirer par la terne lueur verte des animaux. N'y aspire pas. Si tu dois être attiré par elle, tu tomberas dans le règne des animaux ignorants et tu souffriras éternellement de la stupidité et de la bêtise du monde où tu te seras laissé prendre. Comme il n'existe aucun moyen d'en sortir, ne te laisse donc pas attraper. Concentre-toi davantage intensément sur les légions célestes des saints détenteurs de la connaissance, qui sont les maîtres spirituels, et vénère cette lumière aux cinq couleurs, rayonnante et étincelante, en pensant : « Les légions célestes des détenteurs de la connaissance, les héros et les Dakinis* étant venus pour me conduire dans le pur domaine de la Jouissance de l'Espace, je les supplie de tourner leurs regards vers moi qui n'ai aucun mérite. Bien que la lumière de compassion des Tathagatas et des Bouddhas des cinq familles et des trois temps me soit apparue si souvent, je n'ai rien fait pour la saisir. Célestes légions des détenteurs de la connaissance, ne me laissez donc pas tomber davantage mais saisissez-moi avec votre compassion comme avec un crochet. Je vous supplie de me conduire dans le pur domaine de la Jouissance de l'Espace. »

Pensant cela et sans distraction, dis cette prière : ༔

> « *Que sur le chemin de lumière qui fait apparaître la suprême connaissance innée, les héros détenteurs de la connaissance me guident, que leurs sublimes parèdres, l'assemblée des Dakinis, me poussent par-derrière et, m'ayant libéré du chemin vertigineux des peurs du bardo, qu'ils m'établissent dans le paradis qu'est la vision pure, la Jouissance de l'Espace* ». ༔

Ayant prié ainsi avec dévotion, on se fond en lumière d'arcs-en-ciel dans le cœur des légions célestes des détenteurs de la connaissance, et l'on renaît, sans le moindre doute, dans le Royaume de Jouissance de l'Espace. Ceux qui reconnaissent cela sont libérés instantanément comme tous les amis spirituels[73], et

* Dakinis : celles qui se déplacent dans l'espace. L'espace peut se comprendre à plusieurs niveaux, il peut être la sphère même de la connaissance, la vacuité en laquelle se meut l'exercice des potentialités inhérentes à l'esprit libéré.

même ceux qui ont de mauvais penchants seront libérés certainement.

Ici se termine l'enseignement de la *Grande Libération par l'Écoute*[74] concernant la lumière de lucide clarté dans l'état intermédiaire après la mort[75], et la reconnaissance de l'état où apparaissent les divinités paisibles dans le bardo de la Vérité en Soi[76].

iti ⸪ *Samaya* ⸪ *gya gya gya* ⸪ *

* Mantras qui scellent le secret du texte.

Vision des divinités courroucées

Commentaire. — Le concept hindou d'atman signifie substance indestructible qui consiste en elle-même, et est présente dans chaque être vivant. L'affirmation bouddhique de l'existence de cette force n'est pas prouvable. Le manque de cette force vitale est appelé la vacuité (sunyata, tibétain : stong-pa-nyid). Le but et le devoir de la mystique bouddhique sont de sentir, d'expérimenter, de vivre dans son propre corps cette vacuité, ce manque de force vitale. L'expression « manque de force vitale » semble une description négative mais cette expérience mystique bouleversante est ressentie comme une plénitude, comme une lumière toute pénétrante. Elle est d'une intensité si grande que l'homme ordinaire ne la supporte pas. Même lorsque les Bouddhas se manifestent dans cette lumière éblouissante, la plupart des hommes ne peuvent la reconnaître ; tant ils en sont aveuglés, ils s'enfuient, ne sachant ce que signifie cette lumière.

Ainsi le mort ne sait pas reconnaître l'être véritable de cette lumière qui se manifeste à lui dans le Bouddha aux cinq sagesses. Lorsque les visions augmentent, la révélation de la nature de l'être devient plus terrible, selon l'expérience que l'homme a acquise au cours de sa vie. La Vérité en Soi qui, dans sa lumière éblouissante, n'a pu être reconnue, est ressentie maintenant comme une peur existentielle. La peur est provoquée maintenant par différentes apparitions effrayantes. Parallèlement aux cinq Bouddhas surgissent les cinq Herukas qui ne sont pas de nouvelles entités mais seulement une forme différente d'apparition des mêmes puissances. C'est pourquoi les Herukas portent les mêmes emblèmes que les cinq Bouddhas, bien qu'ils aient un air effrayant à figer un mort ! De même que le mandala des cinq Bouddhas est entouré par les puissants détenteurs de la connaissance, les Herukas sont entourés d'autres êtres plus horrifiques que tout ce qu'on peut imaginer. Parmi ces êtres surgissent les huit mamo. Ces divinités sont des esprits de la terre. En histoire des religions, elles sont considérées comme faisant partie de la culture paysanne prébouddhique (voir E. Neumaier : Matarah und ma-mo. Studien zur Mythologie des Lamaismus. Munich, 1966, p. 19 et suiv.). Dans le cadre de l'ésotérisme du bouddhisme tibétain, elles ont une signification qui n'est pas différente de celle des autres divinités féminines. Le Che-mchog Heruka représente les huit ordres de la conscience, soit :

— les six consciences habituelles du bouddhisme :

les cinq sens de l'Occident : conscience de l'œil, de la langue, de l'oreille, du nez et du corps et la conscience du mental

— la conscience du mental envahi par les émotions perturbatrices (manovijnana)

— la conscience en tant que base toute productrice (kun-gzhi ; en sanskrit : alayavijnana)

Le concept occidental de trésor de la conscience (alayavijnana) a une signification assez proche mais n'est pas identique. Un commentaire tibétain d'un tantra situe le Che-mchog Heruka au centre de sa considération, et expose clairement que ces huit ma-mo ne sont pas des esprits mais des personnifications de certains aspects de la conscience (voir E. Neumaier : *Das rang-byung rang shar ein r Dzogs-chen Tantra.* ZDMG, 1970, p. 156).

La lecture des chapitres suivants du Bardo-Thödol étonnera par le changement total de la révélation de la vacuité. Elle est perçue, premièrement comme l'éblouissement de la lumière transparente puis, deuxièmement, comme l'horreur inspirée par le sang coagulé. Cette vacuité du bouddhisme correspond au divin qui tient tant de place dans beaucoup de religions. Elle est aussi considérée comme le Tout-Autre (voir R. Otto : *Das ganz-andere in ausserchristlicher und christlicher Theologie* dans Das Gefühl des überweltlichen, 1932, p. 212 et suiv.).

L'union mystique a toujours été décrite comme un événement d'une félicité indescriptible et comme un saisissement libérateur qui ébranle la personne si profondément qu'elle est prise de peur et d'épouvante comme si son existence allait s'éteindre à cause de la puissance de cette Vérité en Soi.

Si concrètement qu'ils puissent être décrits, les Herukas et ceux qui les accompagnent ne sont que des symboles ou des images voulant formuler l'inexprimable de l'expérience fondamentale.

Le Bardo-Thödol dit à la fin que la peur rend le mort particulièrement attentif. Ceci paraît au premier abord contradictoire ! Mais qui, dans sa vie, n'a pas expérimenté les forces insoupçonnables que peut déclencher une peur extrême ou la détresse ? A l'état intermédiaire, le mort repasse par tous les développements qu'il a vécus sur la terre : tout d'abord la nature profonde apparaît comme une lumière puis se montre terrifiante. La peur et la pusillanimité l'emportant, le mort est repoussé dans la cachette d'une matrice. Si le mort ne reconnaît pas la vraie nature des apparitions, il descend toujours plus profondément dans les tourbillons des émanations de la vacuité où les images deviendront toujours plus grossières et la réincarnation inévitable.

Fin du commentaire

Introduction

Voici la description du commencement de l'apparition des divinités courroucées de l'état intermédiaire. Il existe sept stades sur le sentier vertigineux comme il en existait sept également dans l'état intermédiaire des divinités paisibles. Ces stades donnent au mort à plusieurs reprises la possibilité de parvenir à la vue pénétrante. Le mort peut ne pas reconnaître immédiatement le stade mais il obtient la libération s'il parvient à la vue pénétrante à un stade suivant. Ceci est très important pour lui. Quoiqu'il y ait de nombreuses personnes qui soient libérées de cette manière, certaines à cause de leur mauvais karma, à cause des voiles qui recouvrent leur esprit et à cause de leurs tendances inconscientes nuisibles, n'ont pas pu faire cesser le cycle d'illusion de l'ignorance. Bien qu'on ait tout tenté pour leur faire reconnaître leur propre esprit dans le bardo, elles ne sont pas libérées et doivent continuer à errer toujours plus bas.

Après que les légions célestes des divinités paisibles, les détenteurs de la connaissance et les Dakinis l'ont accueilli, apparaissent les légions des divinités courroucées, celles qui boivent le sang et sont embrasées par le feu *. Ce sont les cinquante-huit métamorphoses des précédentes légions des divinités paisibles.

La situation cependant n'est plus la même puisqu'il s'agit maintenant de l'état intermédiaire des divinités courroucées. Le mort sera confondu par sa peur, son angoisse et son épouvante. Il lui sera alors de plus en plus difficile de reconnaître la vérité, l'esprit n'étant plus maître de lui. Il est pris de vertige et s'évanouit. Mais s'il parvient quelque peu à la vue pénétrante, il obtient facilement la libération. Et comment donc ? Parce que l'esprit tout occupé par la peur et l'angoisse ne connaît aucune distraction tant il est concentré sur sa crainte.

Si, dans cette situation, on ne rencontre pas ces enseignements, un océan de connaissances théoriques sera inutile. Les abbés qui suivent la règle, les moines[77] et les métaphysiciens qui alors seront confondus, ne reconnaissant pas la vérité, devront à nouveau errer dans le cycle des existences. La plupart des individus ordinaires cherchent à fuir cette peur et cette angoisse. Ils se précipitent dans les abîmes sans fond des états d'existences inférieures où ils devront souffrir. Mais le yogi qui a mis en pratique l'enseignement tantrique, même s'il est un être inférieur, saura, dès qu'il verra les légions célestes des buveurs de sang, comme s'il reconnaissait des amis, qu'il s'agit des divinités de consécration (Yi-dams) et il aura toute confiance en eux. Il s'unifiera[78] à eux et deviendra Bouddha.

On reconnaîtra immédiatement ces figures et on obtiendra la libération si l'on s'est familiarisé auparavant sur la terre avec les divins buveurs de sang, les ayant vénérés et leur ayant offert des offrandes ou du

* Le feu de la suprême connaissance.

moins les ayant vus en peintures. C'est en cela que consiste l'essentiel de l'enseignement suivant.

Les apparitions merveilleuses des reliques d'os ou de lumières d'arcs-en-ciel ne se produiront pas pour ceux qui, de leur vivant, méprisaient l'enseignement des mantras secrets, même si abbés, ils ont suivi la règle des moines ou, métaphysiciens, ont pratiqué sur terre le Dharma. Si savants qu'ils fussent dans la compréhension du Dharma, s'ils ne mettent pas leur confiance dans les divinités du Vajrayana, ils ne peuvent les reconnaître.

On prend pour un ennemi ce qui vous surprend la première fois. Et cette attitude de refus vous fait retomber dans les états d'existences inférieures. C'est pourquoi, si bons disciples qu'ils aient été, les métaphysiciens et tous ceux qui ont suivi la règle du Bouddha mais qui n'ont aucun entraînement tantrique, ne peuvent avoir les signes tels que reliques, sharirams, perles de lumière, lumière d'arcs-en-ciel. Par contre, le plus simple des tantristes, si vulgaire, inculte ou immoral qu'il ait pu être, même s'il fut incapable de pratiquer l'enseignement tantrique, sera apte à obtenir la libération s'il n'a aucune fausse représentation et aucun doute quant à l'enseignement tantrique qu'il respecte. Même si de son vivant il menait une vie dissipée, à sa mort apparaîtront reliques, perles de lumière, représentation du corps de Bouddha imprimé sur les ossements*, tout ceci étant la preuve de l'immense bénédiction des enseignements tantriques.

* Il s'agit de signes indiquant que le mort est parvenu à la délivrance du cycle des existences : certains organes de son corps demeurent incombustibles. Les figures de Bouddha se trouvent être représentées sur les ossements et de petites perles colorées et brillantes demeurent dans les cendres du corps incinéré.

Grâce à leur pratique des deux phases de méditation (développement[79] et achèvement[80]), grâce à la récitation des mantras et à la pratique de l'enseignement, les êtres au développement très moyen et les yogis tantriques n'ont plus besoin d'errer en dehors de l'état intermédiaire de la Vérité en Soi. Dès que cesse leur respiration, ils sont accompagnés dans le Royaume de la Jouissance de l'Espace par les détenteurs de la connaissance, les héros et les Dakinis.

En signe de cela, le ciel sera brillant et pur. Un arc-en-ciel d'une luminosité intense resplendira dans une pluie de fleurs, de parfums, d'encens et de musique céleste. Des lumières, des reliques, des perles colorées et des figures divines apparaîtront. C'est pourquoi ces enseignements du livre de la *Grande Libération par l'Écoute*[81] sont indispensables pour les moines, les philosophes et ceux qui ont rompu leurs vœux initiatiques.

Ceux qui méditaient sur la Grande Perfection[82] et sur le Grand Symbole[83] reconnaissent véritablement la lumière fondamentale du moment de la mort, si bien qu'ils obtiennent le Corps de Vacuité sans avoir besoin de lire la *Grande Libération par l'Écoute.*

Ensuite, si à l'état intermédiaire du moment de la mort, on reconnaît la claire lumière, on obtient le Corps de Vacuité et si, à l'état intermédiaire de la Vérité en Soi[84], on reconnaît ce qu'est l'esprit, au moment où apparaissent les divinités paisibles et courroucées, on obtient le Corps de Jouissance. Si l'on reconnaît la vérité à l'état intermédiaire du devenir[85], on obtient le Corps d'Émanation[86] et l'on renaît dans les états supérieurs de l'être où l'on retrouve cet enseignement. Les conséquences favorables du karma influençant la vie suivante, la *Libération par l'Écoute* est un enseignement qui permet de devenir Bouddha sans passer par la méditation. Il suffit de l'entendre pour être libéré. Cet enseignement conduit les grands pécheurs sur le chemin secret. Il est impossible à celui qui a confiance dans cet enseignement de retomber dans les états d'existences inférieures. Le texte de la *Libération par l'Application des Mantras sur le Corps*[87] doit également être lu à haute voix car la combinaison de ces textes est comme celle de l'or et de la turquoise dans un mandala[88]. Maintenant qu'a été montrée l'importance de l'enseignement de la *Libération par l'Écoute* il faut aider le mort à obtenir la vue pénétrante tandis que l'état intermédiaire des divinités courroucées[89] apparaît. On appelle le mort trois fois par son nom.

Vision du Bouddha Heruka

« Noble fils, écoute sans distraction ! Tu n'es pas arrivé à la vue pénétrante lorsque précédemment t'est apparu l'état intermédiaire des divinités paisibles. Tu as dû errer jusqu'ici. Maintenant, le huitième jour, les légions divines des buveurs de sang apparaissent. Reconnais-les sans être distrait.

Noble fils ! Le glorieux Bouddha Heruka t'apparaîtra, de couleur brun foncé, à trois têtes, six bras et quatre jambes. Son visage de droite est blanc, celui de gauche est rouge et celui du milieu est brun foncé. Son corps est une masse resplendissante. Ses neuf yeux d'une fixité terrifiante te regardent dans les yeux. Ses sourcils tremblent comme l'éclair et ses canines sont luisantes comme le cuivre, il profère un éclat de rire : A-la-la ha-ha. Il siffle puissamment : Chou-ou ! Ses cheveux roux se dressent comme des flammes ! Le soleil, la lune et des crânes humains couronnent ses têtes ! Son corps est orné de guirlandes de serpents et de têtes fraîchement coupées ! De ses six bras, le premier à droite porte une roue, celui du centre une hache et le dernier une épée, tandis que le premier bras à gauche tient à la main une cloche, celui du centre un soc de charrue[90] et le dernier un crâne. La mère-divine Bouddha-Krodhesvari enlace le corps du divin-père, de sa main droite elle entoure sa nuque et de sa main gauche elle lui porte à la bouche un crâne empli de sang. Il pousse des cris gutturaux, fracassants comme des grondements de tonnerre. Il est embrasé du feu de la connaissance au sein duquel les poils de son corps sont des Vajras enflammés. Il se tient sur un trône supporté par des Garudas, les deux jambes droites repliées et les deux jambes gauches tendues. Du centre de ton propre cerveau sort ce Bouddha-Heruka qui t'apparaît de la sorte ! Ne le crains pas. N'aie aucune peur de lui. Reconnais en lui le corps de ton propre esprit. Puisqu'il est ton divin Yi-dam, ne le crains pas ! Ce Bouddha Heruka étant en vérité le très haut Vairocana le Père-Mère, n'aie aucune crainte ! Si tu le reconnais vraiment, tu seras libéré instantanément. »

Vision de Vajra Heruka

Ces paroles étant dites, le mort reconnaîtra son divin Yi-dam et s'unira à lui. Il aura atteint l'état de perfection de Bouddha en le Corps de Jouissance. Mais s'il éprouve la peur et le dégoût et cherche à fuir, il ne pourra reconnaître la vérité et, le neuvième jour, les divins buveurs de sang de l'ordre du Vajra viendront à sa rencontre. C'est pourquoi il faut l'aider à obtenir la vue pénétrante. On appelle la mort par son nom, disant :

« Noble fils, écoute sans distraction ! Le neuvième jour t'apparaît le très haut Vajra-Heruka de l'ordre du Vajra des divins buveurs de sang. Il a un corps bleu foncé, trois têtes, six bras et quatre jambes écartées. Sa tête de droite est blanche, celle de gauche est rouge et celle du milieu bleue. Il porte dans sa main de droite le Vajra, dans celle du milieu un crâne et dans la troisième une hache. Dans sa main de gauche une cloche, celle du milieu un crâne et dans la dernière un soc de charrue. La mère-divine Vajra Krodhesvari enlace le corps du divin-père, sa main droite entoure son cou et sa gauche porte à sa bouche un crâne empli de sang. Cette apparition sort de la partie est de ton cerveau et se tient devant toi. N'aie aucune peur, ne crains rien, ne t'en défends pas ! Reconnais-la comme étant le corps de ton propre esprit. Ne la crains pas puisqu'elle est ton divin Yi-dam. En vérité, c'est le très haut Vajrasattva, le divin Père-Mère. Vénère-les donc avec dévotion. Si tu les reconnais vraiment, tu obtiendras instantanément la libération. »

Grâce à ces paroles, le mort reconnaît l'apparition de son divin Yi-dam et se fond en lui. Il devient Bouddha en le Corps de Jouissance.

Vision de Ratna-Heruka

Si la peur et le dégoût surgissent en lui à cause du grand aveuglement de son karma et qu'il cherche à fuir, il n'obtient pas la vue pénétrante. Et à nouveau, le dixième jour, les divins buveurs de sang de l'ordre de

Ratna surgissent pour l'accueillir. C'est pourquoi il faut encore l'aider pour cette vue pénétrante. On appelle le mort par son nom, disant :

« Noble fils, écoute sans distraction ! Ce dixième jour t'apparaît le très haut Ratna-Heruka de l'ordre Ratna des divins buveurs de sang. La couleur de son corps est jaune foncé. Il a trois têtes, six bras et quatre jambes écartées ! La tête de droite est blanche, la gauche rouge et celle du milieu, jaune foncé, est enflammée. De ses six mains, la première à droite tient un joyau, celle du milieu un sceptre[91] et la dernière une massue. La première à gauche tient une cloche, celle du milieu un crâne et la dernière un trident. La mère-divine Ratna-krodhesvari enlace le corps du divin-père, de sa main droite entoure son cou, tandis que de sa gauche elle porte à sa bouche un crâne empli de sang. Cette apparition provient du sud de ton cerveau. Ne la crains donc pas. N'aie pas peur ! Ne la repousse pas. Reconnais qu'elle est ta nature profonde ! Puisqu'elle est ton Yi-dam divin, ne la crains pas ! Vénère-le avec dévotion car il est en réalité le très haut Ratnasambhava uni à la divinité-mère. Reconnais-le, tu obtiendras à l'instant même la libération. »

Cela étant dit, le mort reconnaît l'apparition de son divin Yi-dam et se fondant avec lui, il devient Bouddha !

Vision de Padma-Heruka

Si la peur et le dégoût le repoussent à cause des penchants troubles qui continuent de l'entraîner, malgré l'aide qu'il a reçue pour obtenir la vue pénétrante, il ne peut reconnaître l'apparition de son divin Yi-dam et le prend pour un démon de la mort. Le onzième jour apparaissent les divins buveurs de sang de l'ordre de Padma pour l'accueillir. C'est pourquoi une fois encore, il faut l'aider à obtenir la vue pénétrante. On appelle le mort par son nom, en disant :

« Noble fils, écoute sans distraction ! Le onzième jour t'apparaît le très haut Padma-Heruka de l'ordre Padma des divins buveurs de sang. Sa peau est de couleur rouge sombre, il a trois têtes, six bras, quatre jambes écartées. La tête de droite est blanche, la gauche bleue, celle du milieu rouge foncé ! De ses six mains la première à droite tient un lotus, celle du milieu un sceptre et la dernière une massue. La première à gauche une cloche, celle du milieu un crâne empli de sang et la dernière un petit tambour. La mère-divine Padma-Krodhesvari enlace son corps, de la main droite entoure son cou et de la gauche porte à sa bouche un crâne empli de sang. Le divin-père uni bouche à bouche avec la mère-divine sort du côté ouest de ton cerveau et t'apparaît. N'aie donc pas peur, ne crains rien. Ne t'en défends pas ! Souviens-toi, reconnais-le comme le corps même de ton esprit puisqu'il est ton divin Yi-dam, ne le crains pas, n'aie pas peur ! En vérité il est Amitabha le très haut uni à la mère-divine. Vénère-les avec dévotion. Si tu le reconnais vraiment, tu atteindras à l'instant même la libération ! »

A ces mots, le mort reconnaîtra son Yi-dam divin, se fondra en lui et deviendra Bouddha.

Vision de Karma-Heruka

Malgré l'aide qu'il aura reçue pour la vue pénétrante, si ses mauvais penchants augmentent sa peur et sa crainte au point qu'il cherche à fuir l'apparition, il ne peut reconnaître son Yi-dam divin. C'est pourquoi le douzième jour les légions des divins buveurs de sang de l'ordre de Karma, tels les Gauris *, les Pisacis **[92] et les Isvaris ***[93] viennent l'accueillir. Comme il ne reconnaît pas sa nature véritable, la peur augmente en lui. On l'aide donc à obtenir la vue pénétrante. On appelle le mort par son nom, en disant :

« Noble fils, écoute sans distraction ! Maintenant que le douzième jour est arrivé, Karma-Heruka de l'ordre Karma des divins buveurs de sang t'apparaît. Son corps est vert foncé. Il a trois têtes, six bras, quatre jambes écartées. Sa tête de droite est blanche, celle de gauche rouge et celle du milieu vert foncé. Il a l'air féroce. De ses six mains, la première à droite tient une épée, celle du milieu un sceptre, la troisième une massue. A gauche, la première tient une cloche, celle du milieu un crâne, celle de derrière un soc de charrue. La mère-divine Karma Krodhesvari enlace le corps du divin-père et de son bras droit entoure son cou, portant de sa main gauche à sa bouche un crâne empli de sang. Unis bouche

* Gauri : en sanskrit et en tibétain signifie « blanche ». Ce sont les huit déesses auxquelles on a donné le nom de la première qui est blanche.

** Pisaci : (sanskrit), phra men ma (tibétain) signifie « bigarré » car ces déesses sont de diverses couleurs. Ce sont les mangeuses de chair, à tête d'oiseaux et d'animaux.

*** Isvari : (sanskrit), wangtschulma (tibétain) signifie « les toutes-puissantes ».

à bouche, ils sortent du nord de ton cerveau et t'apparaissent. N'en aie pas peur, ne crains rien ! Ne t'en défends pas ! Reconnais donc qu'il s'agit du corps de ton propre esprit. Il est ton Yi-dam divin, n'en aie pas peur. Car en vérité ces apparitions sont le couple divin des Amoghasiddhi et de la mère-divine. Vénère-les avec dévotion. Espère en eux. Ta reconnaissance engendrera instantanément ta libération. »

Ces paroles étant dites, le mort reconnaît l'apparition de son Yi-dam divin ! Il se fonde en lui et devient Bouddha. L'enseignement du Lama lui permet de reconnaître cette apparition comme ses propres projections : le déploiement des potentialités inhérentes à son esprit. Il est libéré de ses craintes comme on le serait en réalisant que le lion qui nous fait face est empaillé. En effet la peur subsiste tant qu'on ne se rend pas compte que le lion est empaillé. Mais dès que quelqu'un vous fait reconnaître que le lion est empaillé, les peurs s'évanouissent. Celui qui vous conduit à la vue pénétrante vous permet de voir les choses telles qu'elles sont et, tout étonné, on ne craint plus rien ! Il en est ainsi lorsque les légions divines des buveurs de sang apparaissent avec leurs corps énormes et leurs membres lourds, remplissant ciel et terre et vous communiquant peur et angoisse. Dès qu'on fera reconnaître ceci au mort, il saura qu'il s'agit, soit de ses propres projections, soit de son Yi-dam et alors s'unifieront la claire lucidité-fille, en laquelle il avait l'habitude de méditer, et la claire lucidité-mère qui, spontanément, apparaît ultérieurement[94]. Comme aux retrouvailles avec une vieille connaissance, cette lucide clarté s'apparaissant à elle-même, il y aura libération. L'esprit se faisant apparaître lui-même, il est libéré.

Vision des huit ma-mo et des autres divinités féminines

Si personne n'aide le mort à obtenir la vue pénétrante, celui-ci doit, même s'il est intelligent, errer à nouveau dans le cycle des existences. Alors apparaissent les huit êtres terrifiants, les Gauri et les Pisacis[95] aux nombreuses têtes sortant du milieu du cerveau. C'est pourquoi il est nécessaire de l'aider pour la vue pénétrante ! On appelle le mort par son nom, en disant :

« Noble fils, écoute sans distraction ! Du milieu de ton cerveau surgissent les huit Gauri ma-mo qui viennent à ta rencontre. Ne les crains pas ! De l'est de ton cerveau sort la blanche Gaurima, tenant du bras droit un cadavre desséché en guise de massue et, de la main gauche, un crâne empli de sang. Ne crains rien ! Du sud de ton cerveau sort Gauri la Jaune tenant à la main un arc tendu d'une flèche. De l'ouest surgit Tamo[96], la Rouge qui porte un monstre marin et du nord sort Vetali la Noire, tenant un vajra et un crâne empli de sang. Du sud-est apparaît Pukkasi de couleur orangée brandissant des entrailles de sa main droite et les portant à sa bouche de la main gauche. Du sud-ouest apparaît Ghasmari la Vert foncé, tenant à la main gauche un crâne empli de sang, le portant à sa bouche, elle remue son contenu avec un vajra tenu dans sa main droite. Du nord-ouest apparaît Candali la Jaune qui arrache la tête d'un corps, portant le cœur dans sa main droite et dévorant le corps avec sa main gauche. Du nord-est apparaît Smasani la Bleu foncé qui sépare une tête de son corps et le dévore. Ces huit Gauri ma-mo attachées aux lieux entourent les cinq pères buveurs de sang. Ils sortent de ton propre cerveau et viennent en apparition à ta rencontre. Ne t'effraye pas !

Noble fils, écoute sans distraction ! Du cercle externe du cerveau surgissent les huit Pisacis des différentes régions[97] qui viennent à ta rencontre. De l'est apparaît Simhamuka la Bleu foncé, à tête de lion. Elle croise les bras sur sa poitrine et tient dans sa gueule un cadavre tout en secouant sa crinière. Du sud apparaît Vyaghrimukha la Rouge à tête de tigresse, les bras croisés vers le bas, les yeux exorbités et les crocs découverts ! De l'ouest apparaît Srngalamuka la Noire, à tête de renard, tenant dans la main droite un scalpel et dans la gauche des entrailles qu'elle avale en léchant le sang. Du nord apparaît Svanamuka la Bleu foncé, à tête de loup, portant à la bouche des deux mains un cadavre. Du sud-est apparaît Grdhramukha la Blanc jaunâtre à tête de vautour, portant sur l'épaule un cadavre et à la main un squelette. Du sud-ouest apparaît Kankamukha la Rouge sombre à tête de milan portant un cadavre sur l'épaule. Du nord-ouest apparaît Kakamukha la Noire, à tête de corbeau, tenant de la main gauche un crâne empli de sang et de la droite brandissant une épée. Elle dévore cœur et poumons ! Du nord-est apparaît Ulumukha la Bleu foncé à tête de hibou, tenant de la main droite un vajra et de la gauche brandissant une épée. Elle dévore la chair fraîche. Ces huit Pisacis attachées aux différentes régions entourent les cinq divins pères buveurs buveurs de sang et surgissent de l'intérieur de ton cerveau et se présentent devant toi comme des apparitions. Ne crains rien. Reconnais ce qui se présente à toi comme tes propres projections, comme le déploiement des potentialités inhérentes à ton esprit.

Noble fils, si maintenant les quatre gardiennes du seuil surgissent à l'intérieur de ton cerveau et viennent à toi comme des apparitions, reconnais-les. De la partie est de ton cerveau sort et t'apparaît Ankusa, la blanche déesse au crochet, à tête de cheval, tenant dans la main gauche un crâne empli de sang. Du sud de ton cerveau sort Pasa[98] la déesse jaune à tête de truie, tenant un lasso ; de l'ouest Srnkala la Rouge[99] à tête de lionne, tenant des menottes ; du nord Ghanta[100] la Verte à tête de serpent, tenant une cloche. Ainsi les quatre gardiennes du seuil sortent de ton cerveau et t'apparaissent. Reconnais qu'elles sont tes Yi-dams divins.

Noble fils, en cercle autour de ces trente déités Herukas terrifiantes, les vingt-huit puissantes déesses aux têtes multiples sortent de ton cerveau. Elles portent à la main différentes armes. Elles viennent à toi comme des apparitions. Reconnais tout ce qui t'apparaît comme étant tes propres projections, le déploiement des potentialités inhérentes à ton esprit. Tu es arrivé au point crucial. Souviens-toi des enseignements de ton maître spirituel.

De l'est apparaissent les six isvaris : Raksasi la Brune à tête de yak, portant à la main un vajra. Brahmi de couleur orangée, à tête de serpent tenant à la main un lotus. Mahadevi, la grande déesse à tête de léopard, un trident à la main. Vaisnavi « avide » de couleur bleue, à tête de mangouste tenant une roue à la main. Kumari la jouvencelle rouge à tête d'ours blanc, tenant une lance à la main. Indrani la Blanche, à tête d'ours brun, tenant un nœud d'entrailles à la main. N'aie pas peur d'elles.

O noble fils, du sud t'apparaissent les six isvaris qui sortent de ton cerveau : Vajra la Jaune à tête de chauve-souris tenant un scalpel à la main, Shanti la Paix, rouge à tête de capricorne, tenant un vase à la main ; Amrta, la Rouge, à tête de scorpion, un lotus à la main ; Candra la Lune, blanche à tête de faucon, tenant un vajra à la main. Danda au Bâton, vert foncé à tête de renard, tenant une massue à la main, et Raksasi l'Ogresse, jaune foncé, à tête de tigresse, tenant à la main un crâne empli de sang. Ne sois pas effrayé par elles.

O noble fils, de l'ouest t'apparaissent les six isvaris qui sortent de ton cerveau : Bhaksini la Dévoreuse, vert foncé, à tête de vautour, une massue à la main ; Rati l'Ardente, rouge, à tête de cheval, une carcasse à la main. Mahabala la Vigoureuse, blanche à tête de garuda, une massue à la main ; Raksasi l'Ogresse, rouge, à tête de chien, un vajra-scalpel à la main, découpant les cadavres ; Kama le Désir, rouge, pleine de convoitise, à tête de huppe, tenant à la main l'arc tendu d'une flèche ; Vasuraksa la Gardienne des Trésors, vert foncé, à tête de cerf, tenant un vase à la main. Ne sois pas effrayé par elles.

O noble fils, du nord t'apparaissent les six isvaris qui sortent de ton cerveau. Vayndevi la Bleue, déesse du vent, à tête de loup, faisant tournoyer de la main un étendard ; Nari la Femme, Rouge à tête de bélier, un pieu à la main ; Varahi la Noire à tête de truie, un collet de crocs à la main ; Vajri la Rouge à tête de corneille, un cadavre d'enfant à la main ; Mahahastini la Déesse à Grande Trompe, vert foncé, à tête d'éléphant tenant à la main un cadavre énorme dont elle suce le sang ; Varunadevi la Déesse de l'Eau, bleue à tête de serpent, tenant à la main un collet confectionné avec des corps de serpents. Ces six isvaris du nord sortent de ton cerveau et t'apparaissent, n'aie pas peur.

O noble fils, les quatre isvaris gardiennes du seuil vont apparaître venant de ton cerveau. De l'est sort Vajra la Blanche à tête de coucou, un crochet de délivrance à la main ; du sud, Vajra la Jaune, à tête de chèvre, un collet à la main ; de l'ouest, Vajra la Rouge, à tête de lion, une chaîne de fer à la main ; du nord, Vajra la vert foncé, à tête de serpent, une cloche à la main. Les quatre gardiennes des portes, les isvaris, sortent de ton cerveau et t'apparaissent. Reconnais donc que ces vingt-huit divinités puissantes s'élèvent spontanément pour t'apparaître comme étant l'exercice des potentialités inhérentes du corps engendré par lui-même, des Herukas courroucées.

Noble fils, venus de l'expression du Corps de Vacuité, de la vacuité, cette totale ouverture de l'esprit vide de toute limitation, t'apparaissent les divinités paisibles. Reconnais-les donc. Venues de l'expression du Corps de Jouissance, de la lucidité de ton esprit, apparaissent les divinités courroucées, reconnais-les donc ! Lorsque les légions célestes des cinquante-huit buveurs de sang surgiront de l'intérieur de ton cerveau, reconnais que tout ce qui t'apparaît n'est que l'irradiation de ton propre esprit. Tu te fondras alors immédiatement en les divinités buveuses de sang et deviendras Bouddha. »

Enseignement final

« Si de cette manière tu ne parviens pas à la vue pénétrante et que la peur te fait fuir ces apparitions, ta douleur réapparaîtra et augmentera et tu devras errer encore. Si donc tu n'es pas arrivé à la vue pénétrante, tu croiras que toutes les légions célestes buveuses de sang sont les démons de la mort. Tu seras saisi de peur, de crainte et d'effroi et tu t'évanouiras. Tu prendras tes propres projections pour des démons (mara) et tu devras encore errer dans la ronde des existences. Mais si tu n'as ni peur ni angoisse, tu n'as plus besoin d'errer.

Noble fils, n'aie donc aucune peur des très hautes

divinités paisibles et courroucées, même si elles sont grandes et vastes comme le ciel. N'aie aucune peur des divinités moyennes semblables au Mont Merou *, n'aie aucune peur des plus petites, même si elles sont dix-huit fois plus grandes que ton propre corps. Tous les phénomènes ou possibilités de manifestation t'apparaîtront sous la forme des corps des divinités et des lumières, reconnais-les comme étant l'irradiation de ton propre esprit. Tout ce qui est tes propres corps, tes propres lumières, tes propres irradiations, se fondront pour n'être plus qu'un et tu seras Bouddha.

O noble fils, reconnais que tous les phénomènes que tu constates, toutes les impressions effrayantes, sont tes propres projections. Reconnais que la claire lumière est ta propre connaissance, ta propre irradiation. Si, de cette manière, tu obtiens la vue pénétrante, sans le moindre doute, sur-le-champ, tu seras devenu Bouddha. C'est ainsi et cela arrivera sans aucun doute. En un instant tu seras éveillé. Souviens-t'en.

Noble fils, si tu ne le reconnais pas et que tu as peur, les divinités paisibles se changeront en le Noir Protecteur. Et toutes les divinités courroucées t'apparaîtront sous la forme du Roi de la Loi (Yama, dieu de la mort). Ainsi tes propres apparitions te sembleront être le diable (Mara) et tu devras errer dans le cycle des existences.

Noble fils, si tu ne reconnais pas tes propres projections pour ce qu'elles sont en réalité, tu ne seras pas Bouddha, même si tu connais tous les enseignements, les sutras, les tantras. Si te reconnais tout comme étant tes propres projections, avec ce seul secret et ce seul mot, tu seras Bouddha. Mais si tu ne reconnais pas cela,

* Montagne représentant l'axe du monde.

à peine seras-tu mort, le Roi de la Loi, à savoir Yama le Dieu de la Mort, t'apparaîtra dans l'état intermédiaire de la Vérité en Soi[101]. Les plus grandes formes du Roi de la Loi, Seigneur de la Mort, sont vastes comme l'espace, les moyennes semblables au Mont Merou et les plus petites remplissent le monde. Elles apparaissent les yeux vitreux, mordant leur lèvre inférieure de leurs dents, le cheveu relevé en chignon sur la tête, le ventre énorme, le cou maigre, et de la main brandissant la planche du relevé de tous nos actes, criant « frappe-tue ». Elles aspirent la cervelle, arrachent les têtes de leur corps et extirpent les entrailles. Elles arrivent et remplissent tout l'univers.

Noble fils, ne crains rien, lorsque cela t'apparaît. Puisque tu es un corps-mental[102] produit de tes tendances inconscientes, tu ne peux mourir[103] en réalité, même si on te tue ou te hache en morceaux. En réalité ta forme n'est que vacuité de sorte que tu n'as rien à craindre. Et puisque les émissaires de la mort sont également tes propres projections, il n'existe en elles aucune réalité matérielle. Et la vacuité ne peut blesser la vacuité ! Il est un fait indéniable que les divinités paisibles et courroucées, les buveurs de sang à têtes multiples, les lumières d'arcs-en-ciel et les effrayantes formes du dieu de la mort, etc., qui t'apparaissent à l'extérieur, ne sont que le jeu de ton propre esprit. Ils n'ont donc aucune réalité propre, aucune substance propre[104]. Si tu le reconnais, les apparitions seront les Yi-dams divins. Avec dévotion et adoration, pense : « Ils sont venus me tirer du sentier vertigineux de l'état intermédiaire. En eux, je prends refuge. » Réalise en toi les Trois Rares et Sublimes. Souviens-toi de ton Yi-dam quel qu'il soit, appelle-le par son nom, implore-le : « Précieux et divin Yi-dam, pendant que je dois errer dans l'état intermédiaire, viens à mon secours, par compassion délivre-moi. » Appelle ton Lama par son nom, implore-le : « Pendant que je dois errer dans l'état intermédiaire, ne me retire pas ta compassion, viens à mon secours. » Implore avec dévotion les légions célestes des buveurs de sang : ꞉

« Hélas, maintenant que je dois errer
Dans l'état intermédiaire, sous l'emprise des tendances inconscientes,
Sur le chemin de lumière de l'abandon de la peur et de l'effroi,
Que les divinités paisibles et courroucées me guident
Et que les puissantes divinités féminines,
Sphère de toute connaissance, me poussent par-derrière,
Qu'elles me libèrent du chemin
Vertigineux des peurs du bardo,
Qu'elles m'établissent dans l'éveil
Total et parfaitement pur de Bouddha.
Attaché à ceux que j'aimais,
Je dois errer solitaire.
Maintenant que surgissent les images vides du miroir de mes propres projections,
Puissent la peur et l'angoisse de l'effroyable bardo être évitées
Grâce à la compassion infinie du Bouddha.
Maintenant que les cinq lumières pures
De la sagesse fondamentale brillent ici,
Puissé-je, sans peur et sans angoisse, reconnaître l'état intermédiaire.
Alors que je dois souffrir à cause de mon mauvais karma,
Puissent les divins Yi-dams m'épargner la souffrance.
Alors que le son fondamental de la Vérité en Soi[105]
Retentit comme mille tonnerres
Puisse-t-il se transmuer pour moi
En le son des six syllabes[106]
OM MANI PE MEHOUNG.
Alors que je souffre ici des actions que j'ai commises à cause de mes mauvais penchants,
Que m'apparaisse la claire lumière

Qui est la félicité[107] *de l'état de méditation,*
Puissent les cinq éléments ne pas m'être hostiles
Puissé-je les voir comme étant les
Champs de manifestation des Bouddhas des cinq familles ⸗ »

Prie ainsi plein d'aspiration et d'adoration. Une fois ces craintes dissipées, il est certain que tu deviendras Bouddha en le Corps de Jouissance. C'est très important, ne sois pas distrait. »

On explique cela au mort trois à sept fois. Si lourd soit l'aveuglement et si trouble soit l'effet du karma précédent, il est impossible de ne pas être libéré. Mais, cependant, malgré tout ce qui aura été fait pour eux, ceux qui n'auraient pas obtenu la vue pénétrante, doivent passer dans le troisième état intermédiaire du devenir[108]. C'est pourquoi chacun est aidé individuellement pour obtenir la vue pénétrante. Il arrive fréquemment qu'on soit troublé à l'heure de la mort, quelle qu'ait pu être la pratique de la méditation. En dehors de la libération par l'écoute, il n'existe aucune aide. Pour ceux qui ont beaucoup médité, le bardo de la Vérité en Soi apparaît soudainement à la séparation du corps et de l'esprit. Ceux qui, de leur vivant, ont reconnu la véritable nature de leur esprit, et sont devenus très experts dans cette méditation sont très forts lorsque luit pour eux la claire lumière à l'heure de la mort[109]. Pour cette raison la pratique spirituelle avant la mort est très importante. Ceux qui, de leur vivant, ont accompli les deux phases de méditation des divinités tantriques, à savoir le développement et l'achèvement[110], sont très forts au moment de l'état intermédiaire de la Vérité en Soi[111], quand apparaissent les divinités paisibles et courroucées.

Il est donc important d'entraîner notre esprit, de notre vivant, à la pratique du Bardo-Thödol. On doit en saisir les sens, en parfaire la connaissance, le lire à haute voix, l'assimiler pleinement. Il faut le pratiquer trois fois par jour sans y manquer, en ayant clairement présent à l'esprit la signification de chacun des mots. Car, même si cent meurtriers te poursuivaient, il ne faudrait pas oublier le sens de ces paroles.

Cette méthode est appelée la méditation de la *Libération par l'Écoute,* parce que même ceux qui ont commis les cinq actes aux conséquences incommensurables[112], atteindront certainement la libération s'ils entendent cet enseignement par la voie de leurs oreilles. C'est pourquoi il faut lire ce texte à haute voix et redire ces enseignements aux foules. Même si on ne l'a entendu qu'une seule fois sans même le comprendre, on s'en souviendra dans l'état intermédiaire sans oublier un seul mot, l'esprit à ce moment-là neuf fois plus clair. C'est pourquoi il faut communiquer cet enseignement à l'oreille de tous les vivants, en le lisant dans tous les hôpitaux, devant la dépouille de tous les morts, et en le répandant partout.

Celui qui rencontre cet enseignement est en vérité un homme heureux. Pour avoir cette chance, il faut un grand mérite[113] et dissiper de nombreux voiles de l'esprit. Même si on rencontre ces enseignements, il est difficile de les assimiler. Une fois cet enseignement entendu, on est libéré par le simple fait d'y croire. C'est pourquoi il faut le chérir infiniment. Il est la quintessence de tous les enseignements.

Voici la fin de l'enseignement dans l'état intermédiaire de la Vérité en Soi, appelé la *Grande Libération par l'Écoute.* Siddha Karmalingpa a trouvé ce texte au bord du Serdan, le fleuve aurifère[113 A], sur le Mont Gampodar.

Voici le mantra pour purifier totalement tous les états inférieurs de la manifestation* :

TETYATA OM CHODANE CHODANE SARUA PA PAM BICHODHANE CHOUDHE BICHOUDHE. SARVA KARMA A OUA RA NA BICHODHANE SOHA

Ce mantra récité sept fois a le pouvoir de purifier les actes nuisibles de tous les êtres, de dissiper les voiles qui recouvrent leur esprit et de les délivrer du poids de leur inconscient.

OM KOUMARA ROUPA DHARA MEMBE CHA SAMBHAVA ANGUITSA ANGUITSA LANGO LANGO DROUM HOUNG DZINA DZIKA MENZOU CHIRYE KARAYA MAM SARNA DOUKEBE PE PE SAMAYA SAMAYA AMITOBHA BODAWA PAPAM CHAYASOHA

Ce mantra peut purifier des actes nuisibles aussi gros que la montagne axiale.

OM DOUROU DZA YE MOUKHE SOHA

Mantra qui multiplie par milliards la puissance de nos vertus et le mantra équivalent qui vient du sutra du Treillis de Lotus et de la Coiffe du Lotus :

OM HRI PEMA NARA TE CHARA HOUNG HOUNG PE HANOUBA CHA PA RA HRI DA SAMBHARA OM PRABHARA SOHA OM ABHIKHETSA RAHOUNG

C'est un mantra issu du tantra de Manjousri qui, récité sept fois sur un os ou sur la viande, supprime tout acte nuisible de manger de la viande.

* N.d.T. Ces mantras ne se trouvent ni dans l'édition allemande de Govinda, ni dans les éditions anglaises.

OM KHETSAKANA OM ABHIRA HOUNG KHA TSA RAM

Récité 108 fois, ce mantra a le pouvoir de libérer tous les insectes tués par inadvertance sous nos pas. Ce mantra provient du tantra de Manjousri.

OM SAMARA BIMANA SAKARA MAHA DZA OUA HOUNG

multiplie par cent la force de la dédicace de nos actes bénéfiques.

Troisième partie

L'ÉTAT INTERMÉDIAIRE DU DEVENIR

Commentaire. — Si le mort n'obtient pas la vue pénétrante, il ne peut reconnaître, dans l'état intermédiaire de la Vérité en Soi, la vacuité des corps lumineux des cinq Bouddhas. Et si le mort ne reconnaît pas la clarté de la lumière fondamentale qui est sa nature profonde véritable, identique à la vacuité, ses illusions se font de plus en plus intenses. Il ressent alors une peur existentielle. Il se sent privé de son corps, poursuivi, pourchassé, la proie du froid et de la tempête, il cherche un refuge et ne trouve que la matrice. L'enseignement du Lama a pour but d'interrompre la direction que les choses ont tendance à prendre ou, du moins, d'empêcher que la nouvelle incarnation ne se passe dans de mauvaises conditions. L'état intermédiaire du devenir concerne une phase où la vitalité du mort cherche une nouvelle incarnation. C'est donc une phase précédant la conception. La profonde aspiration à posséder de nouveau un corps est si forte en lui que le corps-mental croit déjà avoir un corps physique, au point qu'il sait déjà et ressent la constitution qu'il aura. Le vers d'un tantra définit admirablement ce corps physique présumé et perçu par le corps-mental. Le double sens de ce vers est difficilement traduisible. Il est la cause d'interprétations contradictoires, même parmi les savants tibétains. Il est donc difficile d'expliquer l'apparence de ce corps à l'état intermédiaire. Le présent texte du Bardo-Thödol rédigé par Karmalingpa interprète de la manière suivante ces mots qui prêtent à confusions : « Selon le précédent devenir[115]. »

A l'état intermédiaire, le corps présumé est caractérisé par son ambivalence, d'une part il est formé par les tendances qui habitaient les actions passées du mort, dont il a l'allure du corps précédant et, d'autre part, ce corps présente les signes de l'existence future. Par ce corps apparent, le mort a d'étonnantes visions du monde, il voit clairement les lieux de sa future existence. Les autres caractéristiques de ce corps d'apparence seront expliquées dans le texte même.

Fin du commentaire

Le corps-mental du mort

Du cycle *Un Enseignement Approfondi de la Libération Spontanée par la Dévotion aux Divinités Paisibles et Courroucées*[116], voici la claire indication pour obtenir la vue pénétrante dans l'état intermédiaire du devenir, appelée la *Grande Libération par l'Écoute*[117] : ༔

> *« O ! Lama, divins Yi-dams, légions des Dakinis, je vous vénère de tout mon cœur et je vous supplie de me conduire à la libération de l'état intermédiaire !* ༔ *»*

L'état intermédiaire de la Vérité en Soi a été expliqué auparavant dans la *Grande Libération par l'Écoute.* Voici maintenant l'explication de l'état intermédiaire du devenir ; il est nécessaire de guider, jusqu'à ce que dix jours se soient écoulés, ceux qui, à cause de leur peur, de leur angoisse et de leur mauvais karma, de leur manque de pratique ou de leur aveuglement, ont eu de la peine à obtenir la vue pénétrante malgré l'aide qui leur a été offerte à plusieurs reprises dans l'état intermédiaire de la Vérité en Soi.

On rend hommage aux Trois Rares et Sublimes en présentant des offrandes. On supplie les Bouddhas et les

Boddhisattvas d'accorder leur protection. Puis on appelle le mort trois à sept fois par son nom en disant :

« Noble fils, écoute attentivement et retiens cela ! Les corps des êtres infernaux, des divinités et des êtres dans l'état intermédiaire naissent spontanément *[118]. De plus, comme tu n'as pas reconnu dans l'état intermédiaire de la Vérité en Soi, la vraie nature des apparitions terrifiantes et pacifiantes, voilà que vingt-quatre jours et demi se sont écoulés pendant lesquels tu as eu peur et tu t'es évanoui. Réveillé de cet évanouissement, ton esprit est devenu de plus en plus clair et tu as eu l'impression d'avoir le corps dont tu disposais précédemment.

Comme le dit le tantra : ⸗

> « *Avec le corps de chair précédent et futur, caractéristique du bardo du devenir, pourvu de tous ses sens, errant sans obstruction, possédant le pouvoir des miracles sous le contrôle du karma, voyant avec l'œil pur divin, ceux qui ont la même nature.* ⸗ »

Que veut dire « le corps de chair précédent et futur » ?

— « Précédent » signifie que tu as un corps de chair et de sang constitué par tes précédents penchants. Mais il est rayonnant et possède aussi les signes caractéristiques de l'âge d'or. On l'appelle le corps-mental car il est celui qui apparaît dans le bardo. Il manifeste le contenu du mental.

Si tu dois renaître parmi les dieux, à ce moment-là le monde des dieux t'apparaîtra. Le monde des titans (anti-dieux), des hommes, des animaux, des esprits avides ou des êtres infernaux t'apparaîtra selon le lieu où tu renaîtras. C'est pourquoi on dit « futur » !

* Sans passer par une matrice ou un œuf. Il suffit qu'ils pensent qu'ils sont quelque chose pour qu'ils le deviennent effectivement.

Pendant trois jours et demi, tu pensais avoir une forme charnelle dont l'aspect dépendait des tendances de ton esprit de ton existence « précédente ». Et « futur » se dit puisque précisément t'apparaît le lieu où tu naîtras prochainement. C'est pourquoi on dit « le corps de chair précédent-futur ».

Ne te laisse donc pas influencer par les visions quelles qu'elles puissent être. Ne les poursuis pas. Ne sois pas attiré par elles. Si tu les désires, tu devras souffrir puisqu'il te faudra errer dans le monde des six états d'existence. Bien que te soit apparu l'état intermédiaire de la Vérité en Soi, tu n'en as pas compris la signification et maintenant tu dois errer ici. Maintenant sans distraction, si tu peux conserver la connaissance de l'essence de l'esprit, demeure profondément détendu, sans rien saisir, dans le non-agir [119] en l'union de la claire luminosité et de la vacuité éblouissante et nue, comme ton Lama te l'a indiqué jadis. Ainsi tu ne retourneras pas dans la matrice mais tu obtiendras la libération. Si ton esprit n'est pas contracté, il ne concevra pas de matrice et tu obtiendras la délivrance. Mais si tu ne reconnais pas cela, médite sans t'interrompre, plein de dévotion et d'adoration, sur ton divin Yi-dam ou sur ton Lama, au-dessus de ta tête. C'est important. C'est très important. Fais-le continuellement, sans distraction. »

On parle ainsi au mort. S'il comprend vraiment, il est alors libéré et n'a pas besoin d'errer dans les six états d'existence impurs. Mais l'influence du mauvais karma étant grande, il n'est pas facile de comprendre. On dit alors ceci :

« Noble fils, écoute avec tous tes sens rassemblés. Que veut dire : « pourvu de tous ses sens, errant sans obstruction ? » Cela signifie que, même si de ton vivant tu étais aveugle, sourd ou paralysé, maintenant dans le bardo, tes yeux voient, tes oreilles entendent, et tous tes sens sont intacts et clairs. C'est pourquoi l'on dit « pourvu de tous ses sens. »

C'est un signe que tu es mort et que tu erres dans l'état intermédiaire. Sois-en conscient ! Souviens-toi des instructions libératrices qui t'ont été données !

Noble fils, « errant sans obstruction », signifie que tu es maintenant un corps-mental et que ton esprit est sans support, que ton corps immatériel peut traverser le Mont Merou, traverser les maisons, la terre, les rochers, les montagnes, et les collines, sans être arrêté. Il n'y a que deux lieux que tu ne peux traverser, ce sont la matrice et le siège du Vajra *.

Comme ceci est le signe que tu te trouves dans l'état intermédiaire du devenir, rappelle-toi l'enseignement de ton Lama, et supplie le Seigneur de Grande Compassion Avalokitesvara.

Noble fils, que signifie « possédant le pouvoir des miracles sous le contrôle du karma ? » Cela veut dire que tu déploies des pouvoirs supra-normaux qui viennent de la force de ton karma ; ils sont forgés par l'effet de tes actions passées et ne proviennent pas de ta méditation ou de tes vertus.

Tu peux donc maintenant en un instant traverser les quatre continents et le Mont Merou. Tu peux te transporter instantanément à l'endroit que tu désires. Il te suffit d'y penser pour y être. Cela te prend le temps qu'il faut à un homme pour étendre et replier son bras. Mais ne désire ni ne repousse ces pouvoirs. Tu peux accomplir tout ce à quoi tu penses Il n'y a aucune action qui ne te soit possible. Reconnais-le et supplie ton Lama !

* Le siège sur lequel le Bouddha Gauthama s'assit pour atteindre l'Éveil, à Bodhgaya.

Notre fils, « voyant avec l'œil divin ceux qui ont la même nature » signifie que tous ceux qui vont renaître avec la même nature, se perçoivent les uns les autres dans le bardo. Ainsi tous ceux qui sont destinés à renaître parmi les dieux, peuvent se reconnaître.

Puisqu'on ne reconnaît que ceux qui naîtront dans le même état d'existence, il ne faut pas se laisser attirer, mais plutôt méditer sur le Grand Compatissant Avalokitesvara.

« Voyant avec l'œil divin » signifie que celui qui est dans l'état intermédiaire, voit avec le pur regard céleste qu'il acquiert par la méditation, mais qui ne provient pas de l'activité bénéfique des dieux.

On ne voit donc pas toujours avec ce regard céleste mais seulement si on se concentre sur la vue pénétrante. Si on n'y pense pas, on ne voit rien. La distraction peut également empêcher de voir. »

Caractéristiques de l'expérience du mort

Commentaire. — Ce chapitre est une description approfondie des caractéristiques de l'existence du mort. La nature profonde y est décrite comme une plume chassée par le vent ou comme « montant le cheval solitaire du désert ». Ces images reposent sur une représentation très particulière qui réapparaît dans toute la littérature bouddhique. L'esprit n'est pas porteur d'un corps au matériel grossier. Mais il est constitué par un léger souffle. Ce léger souffle est principalement le porteur de l'esprit. Il est en lui-même movible, volatile, immatériel (voir le commentaire d'introduction de la 1re partie) ; on l'appelle **prana** en sanskrit et **rlung** en tibétain. La gamme des significations va de vent, respiration, souffle de vie, jusqu'à vitalité, énergie vitale. La tradition du yoga pratique compare volontiers ce souffle à un cheval, la monture de l'esprit. Si l'esprit n'est pas maîtrisé, ce solitaire ne se laisse pas apprivoiser et la distraction survient alors dans la méditation. Pendant l'état intermédiaire, cette vitalité, ce souffle, devient si revêche, à cause de ce qui le pousse vers une renaisssance, qu'il fait chanceler et vaciller la nature profonde qu'il porte en croupe. Cette image apparaît encore une fois à la fin du texte, à la différence que le mort est exhorté à tenir en bride le solitaire, la monture de son esprit comme on bride un cheval.

Fin du commentaire

« Noble fils, avec le corps dont tu disposes actuellement, tu rencontreras tes parents et amis comme dans un rêve. Mais tu leur adresseras la parole et ils ne te répondront rien. Tu verras tes parents et amis pleurer et tu penseras : “ Je suis mort, que dois-je faire ? ” Tu souffriras comme un poisson rôti sur le sable brûlant. Te lamenter de la sorte ne servira à rien. Si tu as un Lama, implore-le ou tourne-toi vers ton Yi-dam divin, ou vers le Seigneur de Compassion (Avalokitesvara). Il est inutile de vouloir t'adresser à tes parents. Renonces-y. Mais si tu t'adresses à Avalokitesvara, le Seigneur de Compassion, souffrance et épouvante te seront épargnées.

Noble fils, quand tu es emporté par le vent mouvant de ton karma, sans aucune liberté, ton esprit sans aucun support est semblable à une plume emportée par le vent. Tu chancelles et tu vacilles. Tu diras à ceux qui sont en larmes : “ Je suis là, ne pleurez point. ” Mais comme ils ne t'entendent pas, tu penseras : “ Je suis mort. ” Et tu seras malheureux ! Ne sois donc pas malheureux pour cela. Jour et nuit une lumière grise automnale brillera. Cet état intermédiaire durera trois, quatre, cinq, six ou sept semaines, jusqu'à quarante-neuf jours. Généralement les souffrances de l'état intermédiaire du devenir durent vingt et un jours. Mais tout dépend de l'influence du karma.

Noble fils, à ce moment-là la tempête de ton karma deviendra si furieuse et menaçante ! Sa colère deviendra intolérable et elle t'agrippera par-derrière ! N'aie pas peur. Ce ne sont que tes propres illusions. Une terrible obscurité, profonde et intolérable, te précède avec des cris effrayants de " Frappe-le ! tue-le ! ". N'aie pas peur. Des démons mangeurs de chair apparaîtront à ceux qui sont aveuglés, brandissant des armes et poussant des cris de guerre : " Frappe-frappe, tue-tue ! " Et tu croiras que des bêtes féroces et des nuées de guerriers te poursuivent dans une tempête de neige et de pluie. Aveuglé, tu t'enfuiras. Des sons fracassants grossiront le hurlement de l'orage comme si les montagnes s'écroulaient, que les mers débordaient et que le feu crépitait. Ton chemin sera barré par trois précipices, blanc, rouge et noir. Ils t'engloutiront et te mettront en morceaux.

Noble fils, ce ne sont pas des crevasses, ce sont en réalité les trois passions [120] mauvaises : l'aversion, l'attachement et l'aveuglement. Maintenant reconnais que tu es dans l'état intermédiaire du devenir et appelle par son nom le Grand Compatissant : " O Seigneur de Compassion, mon Lama, et vous les Trois Rares et Sublimes, ne me laissez pas, moi qui m'appelle *** tomber dans l'un des trois malheureux états d'existence. " Prie instamment et n'oublie pas cela. Ceux qui ont acquis la sagesse et le mérite en se consacrant au bien et au Dharma seront accueillis par toutes sortes de plaisirs parfaits. Ceux qui n'auront fait ni bien ni mal mais qui auront vécu dans l'indifférence et l'ignorance n'éprouveront ni bonheur ni souffrance, mais seront entourés d'indifférence et d'ignorance.

Noble fils, quelque bonheur ou plaisir qui t'apparaisse, n'y sois pas attaché. Consacre-le au Lama et aux Trois Rares et Sublimes. S'il ne t'arrive ni bonheur ni souffrance mais que tout est indifféremment neutre, laisse demeurer ton esprit[121] en le Grand Symbole[122] Mahamudra, au-delà de la distraction et de la méditation. C'est capital.

Noble fils, à ce moment-là, tu t'arrêteras près des ponts, des temples, des couvents, des cabanes et des huttes. Mais tu ne pourras pas y demeurer longtemps parce que ton esprit, n'ayant plus de corps ne peut se stabiliser nulle part. Tu te sens tourmenté, aigri et traqué. Tu grelottes. Ton esprit est éparpillé, chancelant et diffus. Tu n'auras alors qu'une seule pensée : " Je suis mort, que puis-je faire ? " Avec cette pensée, ton cœur devient vide et froid. Tu es rempli d'une tristesse intérieure sans borne. Ne t'attache pas à un endroit puisque tu dois errer. N'entreprends rien, laisse ton esprit demeurer dans son état naturel. Voilà le moment où tu n'auras à manger que ce qui te sera consacré par sacrifice et où tu ne pourras plus compter sur tes amis. Ce sont les signes que tu dois errer dans l'état intermédiaire du devenir. La joie et les tourments dépendront de ton karma. En te promenant dans ton propre pays, voyant tes voisins et même ton cadavre, tu penseras douloureusement : " Me voilà donc mort ! " Ton corps-mental perd alors son assurance et tu te dis : " Oh ! que ne donnerais-je pas pour avoir n'importe quel corps ? " Et tu te mettras à chercher un corps de toutes parts. Même si tu essayais d'entrer par neuf fois dans ton cadavre, celui-ci sera gelé si c'est l'hiver, ou décomposé si c'est l'été, ou encore ta famille l'aura brûlé ou mis en terre, ou alors les oiseaux et les rapaces l'auront dépecé, de sorte que tu ne trouveras rien à réintégrer parce que le temps s'est longuement écoulé depuis que tu erres dans le bardo de la Vérité en Soi. Voilà pourquoi tu es si malheureux et que tu cherches à t'engouffrer dans les crevasses et les rochers. C'est la souffrance de l'état intermédiaire du devenir. Aussi longtemps que tu seras à la recherche d'un corps, tu ne connaîtras que la souffrance. N'en fais donc rien et au lieu d'aspirer à retrouver un corps, demeure sans distraction dans le non-agir. »

Le mort ainsi aidé quant à la vue pénétrante, obtient la libération dans l'état intermédiaire.

La pesée des actes

Si le mort ne reconnaît pas la vérité à cause de son mauvais karma, malgré l'aide qu'il aura reçue pour la vue pénétrante, on l'appelle par son nom, en disant :

« Noble fils (***) écoute ! Tu dois supporter ces souffrances car elles sont le fruit de tes propres actes. Prie les Trois Rares et Sublimes qui te protégeront. Et si tu ne sais pas prier de cette manière, si tu ne sais pas méditer sur le Grand Symbole, et si tu ne te concentres pas sur ton Yi-dam divin, tu verras ton bon génie [123], né simultanément avec toi, compter tes actes bénéfiques avec des cailloux blancs, et simultanément viendra ton mauvais génie [124] qui comptera avec des cailloux noirs tous tes actes nuisibles. Tu éprouveras une grande peur, une angoisse et un dégoût qui te feront trembler et mentir, disant : " Je n'ai rien fait de mal. " Alors (le dieu de la mort) Yama dira : " Je vais consulter le miroir de tes actes " et, regardant le miroir, le bien et le mal apparaîtront clairement et distinctement. Ton mensonge sera absurde ! Alors, Yama attachera une corde à ton cou et te traînera. Il te tranchera la gorge, il t'arrachera le cœur et déchirera tes entrailles, léchant ton cerveau, buvant ton sang, dévorant ta chair, rongeant tes os. Mais tu ne peux mourir[125], quoique haché en morceaux, tu te relèveras encore. Et toujours à nouveau haché en morceaux, tu devras supporter de grandes souffrances, mais ne crains rien lorsque les cailloux blancs seront comptés. N'aie pas peur, ne mens pas, ne crains pas Yama, puisque tu n'es qu'un corps-mental, tu ne peux pas réellement mourir, quoique haché et coupé en morceaux. Comme ta nature en réalité consiste en vacuité, tu n'as rien à craindre.

Car les différents émissaires de la mort sont tes propres projections, tes illusions ; leur forme est vide. Quant à toi, ton corps-mental qui manifeste les actions de tes tendances latentes, est vacuité. La vacuité ne peut nuire à la vacuité. Ce qui n'a aucune caractéristique[126] ne peut nuire à ce qui est dépourvu de toute caractéristique.

En dehors de tes propres illusions, aucun émissaire de la mort, aucun bon ou mauvais génie, aucun ogre à tête de bœuf n'existe venant de l'extérieur. Reconnais-le. Reconnais que tout cela est le bardo. Plonge-toi dans la contemplation du Grand Symbole. Médite. Si tu ne sais pas plonger dans cette méditation, alors cherche quel est celui qui a peur et voit qu'il ne consiste en rien, qu'il n'est que vacuité. On l'appelle le Corps de Vacuité[127]. Mais cette vacuité n'est pas un néant en soi. Elle est en l'occurrence la pensée " J'ai peur " et la connaissance de cette pensée est le Corps de Jouissance qui est lucidité éblouissante. Vacuité et lucidité ne sont pas deux choses séparées. La vacuité est lucidité et la lucidité est vacuité. Maintenant l'indissociabilité de la lucidité et de la vacuité, la connaissance mise à nu, est découverte et demeure dans son état increé. C'est le

Corps Essentiel[128]. Sa propre énergie naturelle s'élève dans toute sa possibilité, elle fait tout apparaître. C'est la compassion du Corps d'Émanation[129].

Noble fils, regarde sans distraction ! Reconnais cela réellement et, en toute certitude, tu deviendras Bouddha en le parachèvement des quatre Corps[130]. Ne sois pas distrait ! C'est en cela que réside la limite entre l'éveil des Bouddhas et l'illusion des êtres vivants. Comme ce moment est d'une grande importance, si tu es distrait, tu te trouveras enseveli pour toujours dans le marécage des souffrances sans pouvoir jamais t'en libérer. C'est cet instant qui peut tout changer, c'est cet instant qui peut faire de toi un Bouddha. Voilà ce qui se passe maintenant.

Quoique toutes les apparitions de l'état intermédiaire aient surgi devant toi, tu n'as pas pu reconnaître la vérité à cause de ton éternelle distraction. C'est pour cette unique raison que tu as dû subir cette peur et cette angoisse. Si tu es encore distrait, le fil de la compassion se rompra et tu rejoindras un lieu où il n'existe aucune chance de libération. Sois donc vigilant ! »

Instruction pour les personnes dont l'expérience spirituelle est insuffisante

Commentaire. — Le Bardo recommande deux méthodes à ceux qui ne savent pas méditer et que les instructions précédentes n'ont pas pu aider :

— Adresser ses pensées à Avalokitesvara.

— Méditer sur l'amour.

Avalokitesvara est l'un des grands Boddhisattvas pleins de compassion pour tous les êtres qui souffrent. Il avait promis librement à l'un des Bouddhas des temps anciens qu'il assisterait[131] chaque être humain qui prierait avec foi en son nom et l'appellerait à l'aide avec confiance. C'est la raison pour laquelle le Tibétain profite de chaque minute de liberté pour prendre son rosaire et réciter OM MANI PADMEHUM, en visualisant le puissant Boddhisattva. Tout un peuple a ainsi l'habitude d'appeler à l'aide le Boddhisattva Avalokitesvara, lorsque quelque chose d'horrible le menace. Chaque Tibétain a une telle habitude de cet exercice qu'il peut facilement le pratiquer dans les pires effrois de l'état intermédiaire. Le second exercice lui est directement lié. On se concentre sur tous les êtres vivants, en leur souhaitant de posséder la joie libre de toute souffrance et l'état de tranquillité de l'esprit. Qu'il soit grand Lama ou simple laïque, tout Tibétain fait cette prière quotidiennement.

Ces deux exercices libèrent l'esprit de toutes les émotions négatives et perturbatrices. Et lors de l'application du rituel des morts, il peut faire face à toutes les imperfections humaines sans trébucher.

Il est dit ensuite que le mort ne doit pas s'irriter lorsque ceux qui sont restés sur la terre se mettent à dépecer des animaux. Ceci nous indique qu'à l'époque de la rédaction de ce texte, les sacrifices d'animaux existaient encore selon une coutume non bouddhique. La tradition tibétaine actuelle interprète différemment ce passage. Un mouton serait abattu pour le repas servi dans la maison du défunt en l'honneur de nombreux hôtes : Lamas et moines venus pour célébrer la cérémonie. A cette phase de l'état intermédiaire, il est important que le mort ait des pensées toujours plus positives. Il ne doit plus considérer ses fautes passées mais voir à travers leur enveloppe friable la lumière de la vacuité incréée. Chez les Tibétains, cette attitude se travaille tout au long de l'existence. L'Occidental trouve cela naïf et dénué de sens critique, mais l'expérience humaine a toujours prouvé que l'homme devient semblable à ce qu'il croit. Plus l'homme se laisse aller à la critique et à la querelle, plus il développe un esprit de dispute. Selon l'enseignement du Bouddha, l'analyse consciente des conflits n'est pas le moyen de les dépasser. Tous les enseignements tantriques essayent de transformer l'impur en pur. Ce thème a été développé au sujet de la famille des cinq Bouddhas, dans le commentaire d'introduction à la IIe partie de cet ouvrage.

Fin du commentaire

On aide le mort à obtenir la vue pénétrante, de manière qu'il y parvienne même si précédemment il n'avait pas atteint la connaissance. Au cas où le mort est un laïque qui ne sait pas méditer, on prononce les paroles suivantes :

« Noble fils, si tu ne sais pas comment méditer, rappelle-toi le Bouddha, le Dharma et le Sangha, ainsi que le Compatissant Avalokitesvara. Prie-le avec dévotion. Médite sur le fait que toutes ces apparitions terrifiantes sont ton Yi-dam, le Seigneur de Grande Compassion. Rappelle-toi ton Lama et le nom secret qui t'a été donné sur la terre lors de ton initiation tantrique. Dis-le à Yama, le roi de la mort. Même si tu tombes dans un précipice, tu n'auras aucun mal. Renonce donc à la peur et à l'angoisse ! » En prononçant ces mots, on aide le mort à obtenir la vue pénétrante. Et celui-ci atteint la libération s'il ne l'avait pas réalisée jusque-là !

Mais comme il est possible qu'il n'atteigne pas encore la vue pénétrante et qu'il n'obtienne pas la libération, il faut à nouveau appeler le mort par son nom et lui dire ces mots qui sont d'une extrême importance :

« Noble fils, tes impressions vont te projeter dans des états de joie et de souffrance, comme si tu y étais jeté par une catapulte ! Ne te laisse donc envahir par aucun sentiment d'attirance ou de répulsion. Si tu dois naître dans les mondes célestes, les visions de ces mondes célestes t'apparaîtront. Tandis que si les parents laissés derrière toi tuent de nombreux êtres vivants, ceci provoquera des apparitions impures qui viendront à ta rencontre et te causeront une grande colère, t'obligeant à devoir renaître dans les enfers. Donc, quoi que fassent ceux que tu as laissés derrière toi, n'éprouve aucune colère à leur égard et concentre-toi plutôt sur la méditation de l'amour[132].

Si tu te sens encore attaché aux biens du monde laissés derrière toi, ou si tu te mets à haïr ceux qui cherchent à s'en emparer quoiqu'ils sachent que ces biens sont destinés à d'autres, tu devras renaître dans les enfers ou parmi les esprits malheureux ; et pourtant il t'était possible de renaître dans des mondes meilleurs. Même si tu te sens encore attaché aux biens laissés derrière toi, tu ne pourras ni les obtenir ni les utiliser. Renonce donc à désirer avidement ces biens laissés derrière toi. Rejette-les loin de toi. Prends la décision ferme de les abondonner, qui que ce soit qui s'en soit emparé. Ne sois pas possessif. Demeure au contraire dans le détachement et concentre tes pensées en offrant tes biens en sacrifice à ton Lama et aux Trois Rares et Sublimes, demeurant dans un état de détachement.

Lorsque le *Kamkani* et la *Purification du Monde des Existences Impures* sont récités à tes funérailles, les pouvoirs supranormaux que tu possèdes sous l'effet de ton karma te permettent de voir que les rituels sont exécutés de manière incorrecte par tel ou tel officiant, avec nonchalance, distraction et non-observance des vœux. En conséquence, tu perdras confiance et tu penseras : “ Ils se moquent de moi. ” Pensant ainsi, tu seras rempli de désespoir et de tristesse. Non seulement tu n'auras pas de dévotion mais tu ne croiras plus et cela te fera descendre dans les états d'existences inférieures.

Il est non seulement inutile mais très nuisible de porter de tels jugements. C'est pourquoi pense que, tout incorrecte que puisse être la cérémonie célébrée par les prêtres restés derrière toi, cet aspect incorrect de tes perceptions provient des impuretés de ton karma qui est reflété comme par un miroir. Car, en effet, comment l'incorrect peut-il résulter des paroles du Bouddha ? Pense que cela provient de l'action impure de tes propres impressions.

Ces officiants, leurs corps est le Sangha, leur parole est le Saint Dharma, leur esprit a la nature de Bouddha. Pense donc que tu prends refuge en eux. Sois rempli d'aspiration envers eux, que ta vision soit pure. Si elle l'est, tout ce qu'entreprendront ceux que tu as laissés derrière toi te sera bénéfique. Il est capital d'avoir cette vision pure. Ne l'oublie pas.

Même si tu dois renaître dans un des trois états d'existences inférieures, au moment où les impressions de ces états inférieurs s'élèveront en toi, tu seras pleinement heureux dès que tu verras que tes proches restés derrière toi pratiquent le Dharma selon une conduite pure, libre d'actes nuisibles et que les Lamas et les maîtres se dévouent de corps, de parole et de cœur pendant les cérémonies religieuses. Grâce à cette attitude, quand bien même tu aurais dû renaître dans un des trois états d'existences inférieures, tu renaîtras dans un monde meilleur. C'est pourquoi il est très important que tu évites la vision impure et que, rempli d'une dévotion et d'un respect impartial, tu voies tout comme étant pur. Prends donc garde.

Noble fils, en résumé, ton esprit sans support est léger et mobile. Et quelles que soient les pensées qui s'élèvent en lui, bonnes ou mauvaises, elles sont toutes-puissantes. C'est pourquoi ne pense pas aux mauvaises actions mais souviens-toi de la pratique du bien. Et si tu n'as pas accompli de bonnes actions, plein de visions pures et de dévotion, adresse tes prières à ton Yi-dam.

Prie ton Yi-dam et le Très Compatissant Avalokitesvara. En te concentrant, dis cette prière : ⸪

> *« Hélas, séparé de mes amis, je dois errer seul ; au moment où les formes vides qui ne sont autres que mes propres projections m'assaillent, daignent les Bouddhas m'accorder leur force de compassion qui me libérera de la peur, de l'angoisse et des effrois de l'état intermédiaire. Si je dois souffrir à cause de mes mauvaises actions, puisse mon Yi-dam me libérer de cette souffrance. Lorsque retentissent les milliers de tonnerres du son de la Vérité en Soi, la conscience universelle, puissent-ils devenir les sons du mantra aux six syllabes. Maintenant que je dois subir mes actions sans pouvoir m'enfuir, j'appelle à l'aide le Seigneur de Compassion. Maintenant que j'endure les souffrances provenant des actes produits par mes tendances inconscientes, que m'apparaisse la bienheureuse lumière, la claire lumière, la méditation qui est la Félicité ⸪. »*

Récite cette prière avec dévotion et tu seras conduit sur la bonne voie. Sois assuré que tu ne seras pas trompé. Ceci est d'une importance extrême ! »

Cette prière ayant été récitée, elle revient à la mémoire du mort, elle lui redonne courage et lui permet d'atteindre la libération. On procède ainsi plusieurs fois à cause de l'influence des actions mauvaises qui empêchent de reconnaître la vérité. C'est pourquoi il est très important de répéter cette prière plusieurs fois.

Apparition des futurs règnes d'existence

Une fois encore, on appelle le mort par son nom, en disant :

« Noble fils, si tu as été incapable de comprendre ce qui précédemment a été mis devant tes yeux, il s'ensuivra que le corps de ta vie précédente s'effacera de plus en plus au profit de celui de ta vie future. Tu en seras profondément attristé et tu penseras : " Quel que soit le corps que je puisse avoir, je vais tenter d'en chercher un puisque je souffre tant ." Et, d'allées en venues, tu te précipites vers tout ce qui se présente. Alors luiront sur toi les six lumières des six règnes d'existence. La lumière la plus intense brillera là où tes actions passées te feront renaître.

Noble fils, écoute ! Que sont donc ces six lumières ? La terne lueur blanche des dieux, la lueur rouge des Titans, la lueur bleue des hommes, la lueur verte des animaux, la lueur jaune des esprits avides et la lueur gris fumée du monde des enfers. Ces six lueurs t'apparaîtront et ton corps prendra la couleur de la lueur où tu devras renaître.

Noble fils, comme il s'agit ici maintenant des instructions clefs, médite sur cette lueur quelle qu'elle soit, comme si elle était le Seigneur de Grande Compassion. Au moment où cette lueur t'apparaît, médite en pensant : « C'est le Seigneur de Grande Compassion. » Ceci est d'une extrême importance et d'une profonde signification, puisque c'est le moyen d'éviter une renaissance. Médite longuement sur ton Yi-dam divin. Tel un mirage, il apparaît, mais il n'a pas de nature propre. C'est ce qu'on appelle le Pur Corps Illusoire [133]. Alors ce Yi-dam s'évanouit progressivement de ses contours vers l'intérieur. Demeure sans rien saisir dans l'union de la vacuité et de la lucidité qui ne consiste en rien. Puis médite à nouveau sur ton Yi-dam, puis sur la claire lumière, en méditant ainsi alternativement. Après cela, ta connaissance s'étant évanouie de ses confins vers l'intérieur, partout où il y a de l'espace, il y a de l'esprit, partout où il y a l'esprit, il y a le corps de vacuité.

Demeure sans artifice dans le corps de vacuité, le non-égo duquel rien n'est produit[134]. Dans cet état toute renaissance devenant impossible, tu seras un Bouddha ! »

Clôture de la porte de la matrice

Commentaire. — Le Lama essaie pour la dernière fois d'aider l'esprit du mort à obtenir la vue pénétrante. Le mort se sent de plus en plus poussé à reprendre une forme. Les cinq méthodes qui seront enseignées ici ne présentent pas d'éléments nouveaux. Le mort doit se concentrer sur son Yi-dam. Il doit également reconnaître son Lama et la mère divine dans le couple de ses futurs parents s'unissant. Il doit renoncer à la haine et à la convoitise puisque rien n'existe en réalité. L'esprit est pure vacuité, il est lumière. Les phases embryonnaires sont ensuite analysées selon le schéma hindou classique, c'est-à-dire que l'on décrit, non pas la forme de l'embryon, mais sa consistance (fluidité, opacité !). Il m'a paru nécessaire de respecter cette représentation pour rester en accord avec le sens du texte, même si cela doit surprendre l'Occidental. Il en est de même pour la description des différents continents où le mort veut aller retrouver une forme humaine ! Ces continents ne sont pas tels que l'Occidental les connaît. Ce sont des sortes de mondes séparés par les mers. La compréhension du Bardo-Thödol n'exige pas d'autres commentaires. Il suffit de considérer que ces éléments appartiennent à la conception classique hindoue du monde.

(Voir W. Kirfeld : *Die Kosmogonie der Inder.* Bonn, 1920).

Fin du commentaire

Ceux qui ont peu l'habitude de la méditation ne comprendront pas et seront déroutés. Ils devront alors passer par la porte de la matrice. C'est pourquoi l'enseignement de la fermeture de la porte de la matrice est si important. On appelle le mort trois fois par son nom, en disant :

« Noble fils, si tu n'as pas reconnu précédemment la vérité, il te semblera que tu montes et que tu vas droit devant toi ou que tu descends. A ce moment-là, médite sur le Grand Compatissant comme s'il était toi-même. Souviens-toi. Alors t'apparaîtront à nouveau de violents orages, la neige, la grêle, les ténèbres et tu auras le sentiment d'être poursuivi par une foule. Ceux qui n'ont aucun mérite croient parvenir à un misérable endroit. Ceux qui ont du mérite croient parvenir à une heureuse place. Alors t'apparaîtront, ô noble fils ! les signes des continents et des lieux où tu renaîtras. Écoute sans distraction les enseignements qui sont maintenant d'une extrême importance. Et même si précédemment tu n'as pas compris l'enseignement, bien que j'aie cherché à te faire parvenir à la vue pénétrante, tu comprendras maintenant ! Il est important que tu observes dès lors comment se ferme la porte de la matrice. Il y a deux méthodes : d'une part, empêcher le sujet d'approcher de la porte de la matrice, d'autre part empêcher l'objet qu'est la matrice d'être pénétré. »

Voici l'enseignement pour empêcher le sujet qui veut pénétrer dans la matrice d'y parvenir :

« O noble fils (***), quel que soit le Yi-dam que tu as choisi, visualise-le clairement, insubstantiel, insaisissable comme le reflet de la lune dans l'eau. Il apparaît mais n'a aucune nature propre, il est comme un mirage, comme le reflet de la lune dans l'eau. Si tu n'as pas de Yi-dam, pense que c'est le Seigneur de Compassion. Ensuite laisse ce Yi-dam s'estomper et médite sans point de mire en l'union de la Claire Lumière (lucidité de l'esprit) et de la vacuité. Ceci est d'une profonde signification et permet d'éviter le retour dans la matrice. Médite là-dessus.

Si l'on ne peut s'en empêcher et qu'on est sur le point d'entrer, voici l'enseignement pour fermer les portes de la matrice : Écoute et répète après moi ce qui est dit dans la prière des vers principaux du Bardo[135] et fais comme moi : ꒑

« Hélas, au moment où m'apparaît le bardo du devenir,
Je vais concentrer mon esprit sur une seule chose
Et tendre à prolonger la force de mon bon karma.
Il faut, ayant fermé la porte de la matrice,
Que je m'en détourne[136] ꒑. »

C'est le moment où la persévérance et la vision pure sont nécessaires. Abandonne la jalousie. Médite sur ton Lama et sur sa parèdre. »

On prononce distinctement ces paroles en les rappelant à la mémoire du mort. Il est important de prendre attentivement en considération le sens de ces paroles et de les mettre en pratique. Voici leur signification : « Au moment où m'apparaît le bardo du devenir » signifie que maintenant tu erres dans ce bardo du devenir. La preuve en est que tu ne peux pas voir dans l'eau le reflet de ton visage et que ton corps n'a pas d'ombre.

C'est la preuve que ton corps n'est que le produit de ton mental, et que tu n'es plus lié à un corps matériel de chair et de sang. Maintenant ton esprit doit rester ferme et inébranlable dans sa résolution. La fermeté de cette unique résolution est d'une importance extrême. Ton esprit doit être maté comme un cheval tenu en bride. Tout ce à quoi tu aspireras se réalisera pour toi. Ne pense donc pas à de mauvaises actions. Rappelle-toi plutôt les enseignements, les instructions libératrices, les initiations*, et la transmission orale des textes tels la *Libération par l'Écoute à l'État Intermédiaire*[137], etc., que tu as reçus de ton vivant. Tends à prolonger les résultats du bon karma. C'est capital. N'oublie pas. Ne sois pas distrait. C'est maintenant que tu peux monter ou descendre. Si tu te laisses aller un seul instant à la paresse, c'est maintenant que ceci aura pour conséquence des souffrances sans fin. Mais si ton aspiration est entière, c'est maintenant le moment où tu obtiendras félicité pour toujours. Tiens ton esprit en bride ! Et tends à prolonger l'effet de ton bon karma. »

Voici venu le moment de fermer la porte de la matrice.

Il est dit : ⸗

> « *Rappelle-toi de faire demi-tour, la porte de la matrice étant fermée, c'est maintenant le moment où Persévérance et Vision Pure sont nécessaires* ⸗. »

Cela signifie que ce moment est arrivé. Il faut alors tout d'abord fermer la porte. Il existe cinq modes de fermeture ! C'est pourquoi souviens-t'en !

Noble fils, à ce moment des visions t'apparaîtront, d'homme et de femme s'unissant. En les voyant, ne t'immisce pas entre eux deux ! Mais rappelle-toi l'enseignement et médite sur le fait que ce couple est ton Lama et sa parèdre. Vénère-les, et fais-leur des offrandes. En rassemblant ainsi tout ton esprit, vénère-les avec dévotion et implore leur enseignement. Alors la porte de la matrice se fermera. Mais si, de cette manière, tu ne parviens pas à fermer la porte, et que tu es sur le point d'entrer dans la matrice, médite sur ton Lama et sa parèdre, comme étant ton Yi-dam, qui que ce soit, ou le Seigneur de Grande Compassion (Père-Mère).

* Initiation : transfert de pouvoir de réalisation, transmis de maître à disciple, en une lignée ininterrompue depuis le Bouddha lui-même.

En pensée fais-lui des offrandes. Plein de dévotion, pense que tu as la joie de te conduire à la perfection. Ainsi la porte de la matrice sera fermée.

Mais si tu ne pouvais parvenir à la fermer et que tu te trouves près d'entrer dans la matrice, voici la troisième méthode pour conjurer l'attirance et l'aversion (qui te feraient renaître).

Il y a quatre sortes de naissances :

1) la naissance par l'œuf ;
2) la naissance par la matrice ;
3) la naissance miraculeuse ;
4) la naissance par la chaleur et l'humidité.

Parmi ces quatre, la naissance par l'œuf et par la matrice sont semblables.

Ainsi qu'il a été dit, tu verras un homme et une femme s'unir. A ce moment, à cause de ton aversion, tu entreras dans la matrice et deviendras cheval, oiseau, chien ou être humain ou quelque chose de semblable. Si tu dois devenir un homme, tu te vois apparaître toi-même mâle et tu éprouves un sentiment de haine à l'égard de ton père et une attirance jalouse à l'égard de ta mère. Mais si tu dois devenir une femme, tu te vois femelle et tu éprouves un sentiment de jalousie haineuse à l'égard de ta mère et un sentiment d'attirance et de convoitise à l'égard de ton père. C'est dans ces conditions que tu pénètres dans la matrice et, à l'instant même où l'ovule et la semence se rencontrent, tu ressens la joie innée [138] et dans ce bonheur tu t'évanouis. Tout d'abord substance liquide puis substance solide, le corps grandit, puis, lorsque tu quittes la matrice et que tu ouvres les yeux, tu te trouves être un jeune chiot ayant son existence propre. Étais-tu précédemment un être humain, te voilà devenu chien et contraint de supporter les souffrances d'une vie de chenil ou de porcherie, ou de fourmilière, comme un insecte dans son trou, un veau, un chevreau ou un agneau ; tu ne peux plus faire demi-tour. Tu devras endurer le mutisme et toutes sortes de souffrances dans un état de grande stupidité et d'ignorance. Ainsi tourneras-tu enchaîné à la ronde des six états d'existence parmi les êtres infernaux et les esprits avides, au milieu de tourments innombrables. Il n'y a pas de plus grande violence, de plus grande peur, de plus grande frayeur que cela. Hélas, hélas, que c'est terrifiant, hélas ! Ceux qui n'ont pas reçu l'enseignement d'un Lama tomberont dans les précipices et les gouffres du monde du cycle des existences où ils seront éternellement pourchassés par des souffrances abominables. Écoute donc mon enseignement. Je t'ai montré les instructions pour fermer la porte de la matrice en conjurant l'attirance et l'aversion. Écoute ces paroles et souviens-t'en !

Ensuite, après avoir fermé la porte de la matrice, rappelle-toi que tu dois faire demi-tour. C'est le moment où la persévérance et la vision pure sont nécessaires ; abandonne la jalousie. Médite sur ton Lama et sur sa parèdre. Comme cela a été dit, si tu dois naître mâle, tu éprouveras une attirance vers ta mère et une répulsion envers ton père. Et si tu dois naître femelle, ce sera l'attirance vers ton père et l'aversion envers ta mère. Tu te sentiras envahi par la jalousie. Pour ce moment-là, il existe un enseignement profond :

Noble fils, maintenant que l'attirance et l'aversion surgissent en toi de la sorte, médite de la manière suivante : « Hélas, les êtres, comme moi, errent dans le cycle des existences à cause de leurs mauvaises actions, à cause de leur attirance et de leur aversion. » Et celui qui éprouve encore attirance et aversion devra errer éternellement dans le cycle des existences, avec le danger de devoir sombrer pour longtemps dans un océan de souffrances. C'est pourquoi il faut renoncer d'une façon absolue à l'attirance et à l'aversion. « Hélas, désormais je ne veux ni haïr ni désirer. »

On affermit son esprit dans cette intention. Le tantra dit que de cette manière on ferme la porte de la matrice.

O noble fils, ne sois pas distrait, concentre tout ton esprit. Si jusqu'ici tu ne parviens pas à fermer la porte de la matrice et que tu te trouves prêt à passer la porte de la matrice, grâce à cet enseignement, ferme-la. Pense qu'en vérité rien n'a de réalité, que tout est illusoire. Médite de cette manière : « Hélas, père et mère, pluie diluvienne, rafales, hurlement et toutes possibilités de manifestation ne sont, de par nature, qu'une illusion. De quelque façon qu'ils apparaissent, ils sont irréels. Toute chose est dépourvue de vérité, mensongère comme un mirage. Tout est impermanent, inconstant. A quoi cela sert-il de s'y attacher ? A quoi sert-il d'en avoir peur ? Ce serait regarder ce qui n'a pas d'existence comme en ayant une ! Tout n'est que projection de mon propre esprit. Et l'esprit en lui-même est une illusion. Comme dès l'origine il n'est pas, rien ne peut venir de l'extérieur. Puisque précédemment je n'avais pas réalisé cela, je prenais l'inexistant pour quelque chose d'existant et le faux pour le vrai, et comme je croyais vrai ce qui n'était qu'une illusion, je devais errer pour longtemps dans la ronde des existences. Tant que je ne distinguerai pas qu'il s'agit d'une illusion, je devrai errer dans la ronde des existences où je m'enfoncerai évidemment dans le marécage des souffrances. Tout ceci est semblable au rêve, à l'illusion, à l'écho, à la cité des muses qui se nourrissent d'odeurs. Mirage, illusion d'optique, reflet de la lune dans l'eau, ils n'ont pas un seul instant de vérité.

Rempli d'aspiration, notre esprit est uniquement concentré sur cela. La pensée que tout est irréel, mensonger, détruira certainement notre croyance en la réalité. Et si nous en sommes intérieurement convaincus, la croyance en un égo est conjurée. Si tu comprends ainsi du fond de ton cœur que tout n'est que mensonge, la porte de la matrice se fermera. Mais si la croyance en la réalité n'est pas détruite et que la porte de la matrice ne se ferme pas et que l'on s'apprête à y pénétrer, il existe alors un enseignement profond :

Noble fils, si tu n'as pas pu fermer de cette manière la porte de la matrice, médite sur la lumière selon la cinquième méthode et ferme ainsi la porte de la matrice. Cette sorte de méditation est la suivante : « Toute chose est l'esprit, l'esprit lui-même ne naît ni ne cesse, il est vacuité. » En pensant cela on laisse l'esprit demeurer en lui-même tel qu'il est, un avec lui, comme l'eau versée dans l'eau, sans artifice, sans adjonction. On le laisse être tel qu'il vient, profondément détendu, ouvert, délié et parfaitement libre. La porte de la matrice se refermera sans nul doute pour les quatre sortes de naissances. Médite ainsi, tant que la porte de la matrice ne sera pas encore fermée. »

Conclusion

Jusqu'ici de nombreux enseignements vrais et profonds ont été donnés pour fermer les portes de la matrice. Il est ainsi impossible qu'un être humain, qu'il soit de qualité supérieure, moyenne ou même limitée, ne soit pas libéré. Et comment donc ?

1) Comme le principe conscient dispose d'une voyance, il peut entendre tout ce que je dis. Mais cette voyance n'est pas sans écoulement du sujet vers l'objet, c'est pourquoi on ne peut pas la conserver.

2) Même s'il était auparavant aveugle et sourd, il dispose maintenant de tous ses sens et peut donc comprendre ce que je dis.

3) Comme il est constamment poursuivi par la peur et l'angoisse, il demeure sans distraction, dans le désir de s'en sortir, et se trouve là à m'écouter.

4) Comme sa conscience n'a plus de soutien matériel, il peut sans aucun handicap parvenir là où il veut et comme son attention est neuf fois plus vive, l'essence de son esprit (sa conscience spirituelle) est devenue beaucoup plus claire que par le passé, même s'il était stupide

auparavant. Maintenant, par le pouvoir du karma, il peut méditer de plus en plus clairement tout ce qu'on lui enseigne.

Ce sont les raisons essentielles pour lesquelles il est bon d'entreprendre les rites des morts. Et c'est pourquoi il est si important de lire avec zèle la *Grande Libération par l'Écoute dans l'État Intermédiaire*[139] pendant les quarante-neuf jours de l'état intermédiaire. Même si le mort n'a pu être libéré par tel enseignement, il obtiendra la libération par tel autre. C'est la raison pour laquelle il est nécessaire d'utiliser ces différentes instructions à plusieurs reprises. Bien qu'ils aient entendu l'enseignement sur la vue pénétrante et qu'on leur ait fait faire toutes les visualisations précédentes, nombreux sont ceux qui ne parviennent pas à la vue pénétrante, tant ils sont peu habitués à faire le bien ; même, au contraire, depuis des temps immémoriaux, ils ont une forte propension à faire le mal à cause de leur profond aveuglement. Si, à cause de cela, ils n'ont pu réussir à fermer la porte de la matrice, je vais leur donner une profonde instruction pour apprendre à choisir la porte de la matrice. On appelle à l'aide les Bouddhas et Boddhisattvas et l'on prend refuge en eux. On appelle une fois encore le mort, trois fois par son nom, en disant :

« O noble fils, défunt un tel, écoute ! Bien que, tout à l'heure, je t'aie donné l'enseignement de la vue pénétrante, tu ne l'as pas compris. Maintenant si tu ne parviens pas à fermer la porte de la matrice, ce sera véritablement le moment de reprendre un nouveau corps. C'est pourquoi il existe plus d'un enseignement pour choisir une porte de la matrice. Rappelle-toi, ne sois pas distrait, écoute et concentre-toi avec toute ton énergie et retiens cela.

Noble fils, reconnais donc que maintenant t'apparaissent les signes et les caractéristiques du monde où tu naîtras. Distingue donc le lieu où tu naîtras et choisis avec soin le monde ! Si tu dois naître dans le monde oriental de Purvavideha *, tu verras un lac avec un couple de cygnes. N'y va pas mais souviens-toi que tu dois faire demi-tour. Car si tu nais là-bas, tu seras comblé en abondance de joie et de bonheur mais comme le Dharma n'est pas répandu, n'y va pas. Si tu dois naître dans le monde du sud, de Jambudvipa **, tu verras des palais magnifiques. Si tu dois entrer dans un nouvel état d'existence, alors entre là. Si tu dois naître dans le monde occidental de Aparagodaniya ***, tu verras un lac avec une jument et un étalon. N'y va pas, détourne-toi ! C'est également un continent où règne, il est vrai, un grand bien-être, mais le Dharma n'y est pas répandu, n'y entre pas. Si tu dois naître dans le monde septentrional de Uttarakuru ***, tu verras un lac avec des bœufs ou un lac agrémenté de forêts. Reconnais que ce sont les signes du pays où tu vas naître. Mais n'y entre pas. Bien que la vie y soit longue et que la prospérité y règne, le Dharma n'y est pas répandu, n'y entre donc pas. Si tu dois naître comme dieu, tu verras des temples ravissants érigés en pierres précieuses de toutes sortes. Si cela t'est possible, entres-y ! Si tu dois naître en tant que titan, tu verras un bosquet délicieux tournoyant comme une roue de feu. N'entre là en aucun cas. Pense

* Purvavideha : celui en lequel on dispose d'un corps haut et noble.
** Jambudvipa : celui qui est notre monde.
*** Aparagodaniya : celui en qui on jouit des richesses du bétail.
**** Uttarakuru : celui en qui résonne le son déplaisant annonçant la mort.

seulement à faire demi-tour. Si tu dois naître en tant qu'animal, tu verras des cavernes et des précipices et des nids d'herbe comme à travers un épais brouillard. N'y entre pas non plus. Si tu dois naître comme esprit avide, tu verras des troncs d'arbres noirs, des cavernes écroulées et de sombres étendues. Si tu y vas, tu naîtras en tant qu'esprit avide. Tu auras alors à endurer toutes sortes de souffrances dues à la faim et à la soif. Ne te rends là en aucun cas mais rappelle-toi que tu dois t'en détourner, persévère avec constance ! Si tu dois naître dans l'enfer, tu entendras des mélodies chantées par ceux qui ont un mauvais karma. Tu te sentiras contraint de t'y rendre malgré toi ou tu croiras traverser de sombres régions aux maisons noires ou rouges et devras marcher sur des routes noires pleines de trous noirs. Si tu y vas, tu tomberas en enfer, tu devras y subir les maux insupportables de la chaleur et du froid ; et tu n'auras aucun moyen d'en sortir. C'est pourquoi tu ne dois pas aller au milieu de tout cela. En aucun cas tu ne dois y pénétrer. Fais attention. Ayant fermé la porte de la matrice, souviens-toi que tu dois faire demi-tour ; c'est ainsi et cela est maintenant nécessaire.

Noble fils, bien que tu ne veuilles pas y aller, tu te sentiras poussé malgré toi par des furies, c'est-à-dire tes mauvais actes. Comme évanoui, ne voulant pas y aller, tu y seras contraint. Tiraillé par-devant par des furies et des bourreaux, tu te croiras poursuivi par-derrière par les ténèbres, par des tempêtes furieuses, des cris de guerre, des tourmentes de neige et de grêle et des bourrasques de vent. Tu chercheras à fuir à cause de ton angoisse et tu te réfugieras et te cacheras comme cela a déjà été dit, dans des palais, des failles de rochers, des grottes, au fond des bois ou dans la fleur de lotus qui se referme sur toi. Tu auras peur de quitter cette cachette et tu penseras : “ Je ne peux m’en aller d’ici ”. Et à cause de ta crainte d’en sortir, tu t’attacheras à cette cachette, et tu auras peur de faire face à l’extérieur à toutes les peurs du bardo. Et caché à l’intérieur, là où rien ne te menace, tu prendras une mauvaise naissance qui t’enchaînera à de nombreuses souffrances. C’est le signe que les diables et les démons empêchent ta libération de ces mauvaises naissances.

Il existe pour ce moment précis, un enseignement profond. Écoute et prête attention. Lorsque les furies te poursuivent ou que la peur et l’angoisse t’apparaissent, évoque en toi immédiatement le Baghavan sublime Heruka Hayagriva ou Vajrapani ou celui qui est ton Yidam. Son corps est immense, ses membres énormes et il réduit en cendres tous les démons. Appelle ainsi à ton secours ces divinités courroucées effrayantes. Leur grâce et leur compassion te libéreront de ces furies et tu auras la force de fermer la porte de la matrice.

Noble fils, du pouvoir de la méditation sont nés les dieux. Les esprits nuisibles, les démons et esprits avides changent leur conception[140], d’eux-mêmes dans le bardo, ils apparaissent alors en tant qu’esprits avides, ogres ou démons pouvant manifester toutes sortes de prodiges. Ils surgissent de la transformation de leur corps-mental[141]. Les esprits avides ensevelis dans les océans, ceux qui volent dans l’espace et les quatre-vingt mille sortes de démons, apparaissent tous de la transformation de la conception d’eux-mêmes, de la transformation de leur corps-mental dans le bardo. Le mieux serait à ce moment-là de se souvenir du Grand Symbole[142] de la vacuité. Si l’on n’y parvient pas, il faut pratiquer ce qui nous a été montré auparavant, à savoir le caractère illusoire de toute chose. Même si cela est impossible, on ne laisse son esprit s’attacher à quoi que ce soit mais on médite sur son Yi-dam de Grande Compassion et l'on atteint à l'état intermédiaire, la bouddhéité parfaite en le Corps de Jouissance.

Noble fils, si l'influence de tes actes t'oblige à devoir entrer dans la matrice, je vais te donner une autre instruction pour choisir la porte de la matrice. Écoute ! Quelle que soit la matrice qui t'apparaît, n'y entre pas. Si les furies arrivent et que tu ne peux t'empêcher d'aller vers la matrice, médite sur la déité Hayagriva. Puisque tu possèdes un certain pouvoir de clairvoyance, tu reconnaîtras donc l'un après l'autre tous les lieux de naissance. Choisis donc avec discernement où tu veux aller.

Il existe deux enseignements. L'un est le transfert de conscience dans les Purs Champs de Bouddha, l'autre est celui qui permet de faire le choix d'une matrice dans le cycle impur de l'existence.

Voilà comment on dirige les êtres aux facultés supérieures dans les Purs Champs de la Jouissance de l'Espace : “ Quoique j'y aie été pendant des ères innombrables, des temps sans commencement, voilà qu'aujourd'hui encore je m'enfonce dans le marécage de la ronde des existences. Tant de Bouddhas sont parvenus à l'Éveil et moi je ne suis toujours pas libéré. Aujourd'hui je ne veux plus de ce cycle des existences. Mon cœur le craint et le refuse sans cesse. ” Maintenant que tu es en train de le fuir, pense que tu dois naître d'une façon surnaturelle dans une fleur de lotus, ou dans le Royaume de l'Ouest, appelé les Champs de Félicité [143] aux pieds de Bouddha Amitabha. Aspire profondément en te fixant diligemment sur cette pensée à naître en les Champs de Félicité. Ou, concentre-toi sur le Royaume Céleste que tu préfères : le parachèvement des actes purs [144], ou la joie manifeste [145], ou le déploiement de source lumineuse[146], ou la gloire éclatante ou celui des saules feuillus[147], celui du Mont Potala[148], ou sur le palais de lumière de lotus aux pieds de Padmasambhava[149]. Et là ne sois pas distrait. Immédiatement après tu naîtras dans ce Royaume Céleste. Mais si tu souhaites parvenir auprès de Maitreya dans le Royaume de Tushita, avec toute ta concentration, il te faut penser : " Maintenant, voici venu pour moi, dans l'état intermédiaire, le moment où je puis approcher de l'invincible Ajita, Roi du Dharma, dans le Royaume de Tushita. "

Et tu te trouveras alors de façon surnaturelle au cœur d'une fleur de lotus aux pieds de Maitreya. Si pourtant cela n'est pas possible, ou si tu désires volontiers entrer dans la matrice, ou si tu dois y entrer, il existe une instruction pour choisir la porte de la matrice des mondes impurs. Écoute donc ! Comme précédemment, laisse-toi conseiller quant au monde dans lequel tu cherches ta naissance. Avec ton don de clairvoyance, tu peux le voir, entre donc où le Dharma est répandu. Si tu dois renaître spontanément dans un tas d'ordures, tu percevras cette masse fétide comme remplie d'odeurs agréables, tu seras attiré et tu y renaîtras. C'est pourquoi de quelque façon que t'apparaissent les visions, ne t'y attache pas, ne montre ni attirance ni répulsion. Choisis la bonne matrice. Il est important que tu te concentres et penses ceci : " Ah que j'aimerais naître comme sauveur de tous les êtres, roi régnant sur tout l'univers[150] ou comme Brahmane semblable au grand arbre, le sala, ou comme fils d'un grand saint réalisé (siddha) ou dans une famille dont la lignée de transmission du Dharma est pure, ou dans une famille dont les parents ont parfaitement confiance dans le Dharma. Puissé-je obtenir un corps et toutes les qualités nécessaires pour aider au salut de tous les êtres animés. »

Concentré dans ces pensées, entre dans la matrice ; et au moment où tu pénètres dans la matrice, implore tous les Bouddhas et Boddhisattvas dans les dix directions du ciel, ainsi que ton Yi-dam divin et tout particulièrement le Seigneur de Grande Compassion. Demande-leur de bénir[151] cette matrice comme un palais divin et de te transférer leur pouvoir de réalisation (initiation). Et ainsi entre dans cette matrice.

Mais en choisissant ainsi telle porte de la matrice, il subsiste le danger d'une erreur car, par l'effet de ton karma, tu peux confondre la porte d'une matrice pure, la prenant pour une matrice impure et vice versa. Puisque donc le danger d'une erreur subsiste, un bon conseil devient à ce moment-là très important. Agis donc de la manière suivante ! Dès qu'une porte de matrice pure t'apparaît, n'éprouve aucun attachement et dès que tu vois une porte impure, n'éprouve aucune aversion. Sans te saisir de ce qui est bon et sans rejeter ce qui est mauvais, il te faut demeurer dans la grande équanimité dépourvue d'attachement et d'aversion. C'est la profonde instruction clef.

Excepté pour le petit nombre de ceux qui ont eu l'expérience de la réalisation, il est difficile de se débarrasser des vestiges de cette maladie que sont les mauvaises tendances. Même pour ceux qui ne peuvent pas se débarrasser de l'attachement et de l'aversion, pour ceux dont les facultés sont les plus basses et même pour les grands pécheurs qui sont comme des animaux, le sort peut être conjuré par la prise de refuge.

Noble fils, comme tu ne sais pas choisir une matrice, si tu ne peux te libérer de l'attachement et de l'aversion, quels que soient les phénomènes qui t'apparaissent et dont je t'ai parlé auparavant, prononce le nom des Trois

Rares et Sublimes ! Prends refuge. Implore le Grand Compatissant. La tête haute, va-t'en ! Reconnais donc réellement l'état intermédiaire ! Cesse de haïr ou d'aimer ceux de tes proches que tu as laissés derrière toi, tes fils et tes filles et ceux qui te sont chers. Cela ne t'aidera pas. Maintenant entre dans la lumière bleue du monde des humains et dans la lumière blanche du monde des dieux. Entre dans les palais de pierres précieuses et dans les jardins de délices. »

On explique ceci au mort jusqu'à sept fois. Puis on invoque les Bouddhas ou Boddhisattvas. Enfin on lit jusqu'à sept fois les prières suivantes : *Protection vis-à-vis des Effrois de l'État Intermédiaire*[152], *Paroles Fondamentales pour l'État Intermédiaire*[153], *Libération du Chemin Vertigineux de l'État Intermédiaire*[154]. Puis on lit d'une voix claire le texte : *Libération par l'Application des Mantras sur le Corps*[155], *Libération des Agrégats*[156] et *Rite pour la Libération des Tendances Inconscientes*[157].

Si on fait cela, les yogis de haute réalisation pourront au moment de la mort transférer leur conscience et n'auront pas besoin d'entrer dans l'état intermédiaire. Ils atteindront la libération lorsqu'ils pénétreront dans l'infini de la plus haute réalisation. Quelques personnes qui auront la pratique au moment du bardo de la mort, reconnaîtront la Claire Lumière et, en l'infini de la suprême réalisation, ils deviendront Bouddha.

Ceux qui viennent ensuite dans l'ordre de la réalisation passent à l'état intermédiaire de la Vérité en Soi où ils verront apparaître pendant deux semaines les visions des déités paisibles et courroucées. A ce moment-là, selon le rayonnement de leurs actes passés et de leurs qualités particulières, certains atteindront ou n'atteindront pas la libération. Si l'un des moyens ne nous libère pas, un autre le permettra.

Celui qui sait reconnaître les apparitions a l'avantage incomparable de parvenir à un lieu favorable pour renaître. Même les plus vils, ceux qui sont semblables aux animaux, peuvent éviter de tomber dans les états inférieurs de la manifestation, s'ils prennent refuge dans les Trois Rares et Sublimes.

Et ayant obtenu le précieux corps humain doué des huit libertés et des dix acquisitions qui les qualifient à la pratique du Dharma, ils peuvent rencontrer un maître spirituel[158] dans la vie suivante, obtenir les enseignements, et être alors libérés. Si on applique ces instructions dans le bardo du devenir, on prolonge alors les résultats de notre bon karma, comme un tuyau, ajouté à une canalisation interrompue, rétablit le débit. Il n'est donc pas possible que celui qui entend cet enseignement ne soit pas libéré, même s'il était un grand malfaiteur.

Au moment du bardo, il y a d'une part la compassion de toutes les divinités paisibles et courroucées, les Bouddhas qui viennent au-devant de nous, et d'autre part, il y a tous les démons et tous les obstacles. Il suffit à ce moment-là d'entendre cet enseignement pour que nos perceptions soient changées et que nous obtenions la libération.

D'autre part, comme le mort n'a aucun support matériel, et comme son corps est un corps-mental, il lui est très facile de changer ses perceptions. Même s'il erre dans l'état intermédiaire, à quelque distance que se soit, il peut nous voir et nous entendre en raison d'une certaine clairvoyance, étant capable de se souvenir de l'enseignement et pouvant changer sa pensée en un clin d'œil. Cet enseignement est d'une grande utilité.

Il est comme une catapulte ou comme le fait de placer dans le flot d'une rivière un arbre géant que cent hommes ne pourraient manier. Par voie d'eau on le transporte en un instant là où l'on veut. Il est aussi semblable au mors du cheval. C'est pourquoi il faut se rendre auprès de tous les morts et, près de la dépouille, qu'un ami lise continuellement et distinctement jusqu'à ce que le sang et le sérum s'écoulent par les narines. Pendant tout ce temps-là, il ne faut pas mouvoir le corps du mort. Parmi les règles à observer qui résultent de l'application du rituel : aucun être vivant ne doit être sacrifié pour le mort. Parents et amis qui veillent le défunt ne doivent pas pleurer, ni gémir ou s'affliger. Personne ne doit se lamenter. Tout au contraire, il faut faire le bien autant qu'on le peut.

Il faut ensuite lire cet enseignement pour la *Libération par l'Écoute dans l'État Intermédiaire,* ainsi que toutes sortes d'autres textes du Dharma qui ont été annoncés, ceci joint à ce guide, ce qui est très efficace. Il faut donc lire ces textes continuellement en s'exerçant à comprendre la signification des mots et des concepts. Car, au moment où la mort est certaine et que l'on reconnaît ses signes, il est bon de lire soi-même ce texte et de le méditer dans son cœur, aussi longtemps que notre condition physique le permet. Et lorsque la force vient à nous manquer, il faut prier un ami de poursuivre clairement la lecture du livre pour nous. Alors, sans aucun doute, on sera libéré. Ceci est un enseignement qui ne nécessite pas un entraînement parfait mais qui libère par le seul fait d'être vu ou entendu. C'est la profonde instruction qui libère par la lecture. Cet enseignement conduit également les grands malfaiteurs sur la voie secrète de la perfection tantriste. Et même si sept chiens vous pourchassaient, il ne faut pas oublier les paroles et les concepts de cet enseignement, car il est l'instruction permettant d'atteindre l'éveil de Bouddha à l'instant de la mort. Même les Bouddhas des Trois-

Temps ne pourraient trouver une doctrine supérieure à celle-ci.

Voilà la quintessence de la *Libération par l'Écoute dans l'État Intermédiaire*[169] qui libère celui qui se trouve dans l'état intermédiaire, et qui conduit tous les êtres à la libération.

Voilà le texte-trésor[160] découvert par le Siddha Karmalingpa sur le mont Gampodar.

Puisse advenir ainsi un bien immense aux enseignements et aux êtres vivants.

SARVA MAN GALAM

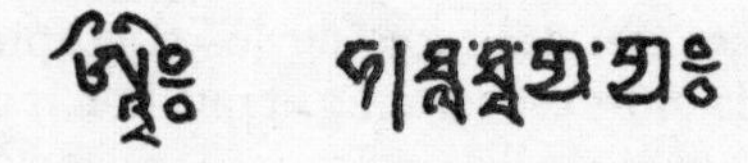

Notes

Notes de la présentation

1. Mircea Eliade, *Mythologies de la mort,* dans : Occultism, Witchcraft and Cultural Fashions. Chicago 1976, p. 32.
2. Tib Bar-do thos-grol.
3. Vgl. D. S. Ruegg, *La Théorie du Tathāgatagarbha et du Gotra.* Paris 1969, p. 245-393.
4. E. G. Parrinder, *God in African Mythology,* dans : Myths and Symbols, Studies in Honor of Mircea Eliade, éd. J. M. Kitagawa et Ch. H. Long, Chicago, 2e édition 1971, p. 117.
5. H. von Glasenapp, *Der Hinduismus.* Münich 1922, p. 49 ; Heinrich Zimmer, *Attindisches Leben.* Hildesheim 1973, (Repr.) p. 410.
6. Tib. gzhi'i od-gsal.
7. Aṅ guttaṛa-nikāya I 6.
8. *The LaṅKāvatāra-Sūtra,* traduction par Daisetz Teitaro Suzuki. Londres 1966 (Repr.), p. 68 et suiv.
9. E. Conze, *Prajnaparumita-Literature.* La Haye 1960, p. 9 et suiv. voir également les nombreuses indications de D. S. Ruegg, dans : *La Théorie du Tathāgatagarbha et du Gotra.* Paris 1969, p. 411 et suiv. ; voir également la note 3.
10. Vgl. P. Poucha, *Le Livre des Morts tibétain dans le cadre de la littérature eschatologique,* dans : Archiv Orientalni, 1952, P. 144 et suiv.
11. E. A. Wallis Budge, *The Book of the Dead,* 2 vol., Londres 1913.
12. Z. B. Majhima-Nikaya nos 28 et 109 ; et Samyutta-Nikāya 22.
13. Sanskrit « skandha », tibétain « phung-po ».
14. E. Frauwallner, *Die Philosophie des Buddhismus,* Berlin, 3e éd. 1969, P. 64 et suiv.

15. Traduction de La Vallée Poussin, *L'Abhidharmakósa de Vasabandhu.* Mélanges chinois et bouddhiques. Vol. XVI, Bruxelles 1971.
16. Sanskrit « antarābhava », tibétain « bar-do ».
17. Voir E. Frauwallner *op. cit.*, p. 78.
18. Ṣamyutta-Nikāya 37-20. Digha-Nikāya III 237.
19. Édité par Nalinaksha Dutt, *Boddhisattvabhūmi.* Patna, 1966, p. 269.
20. *La Siddhi de Hinan-tsang.* Trad. et annoté par L. de La Vallée Poussin, Paris, 1928, tome I, p. 191, 200, 358, 401.
21. Tibétain « sgyu-lus, yi-lus ».
22. Tibétain « gter-ma ».
23. Tibétain « gter-ston ».
24. Eva Neumaier, *Einige Aspekte der gter-ma Literatur,* dans ZDMG, suppl. I, Wiesbaden 1969. IIIe partie, p. 849-862.
25. Rin-chen-gter-mdzod.
26. Mani-bka'-'bum.
27. rNying-ma-pa.
28. G. Tucci, dans Tucci-Heissig, *Die Religionen Tibets und der Mongolei.* Berlin 1970, p. 17 et suiv. et E. Dargyay, *The Rise of Esoteric Buddhism in Tibet.* Delhi, 1977, p. 4 et suiv.
29. Tibétain « rDzogs-chen ».
30. Karma-gling-pa.
31. sGom-po gdar.
32. zab-mo'i gter dang gter-ston grub-thob ji-ltar-byon-pa'i lo-rgyus mdorbsdus bkod-pa rin-chen-bai-du-rya'i-phreng.
33. Klu'i-rgyal-mtshan.
34. Cog-ro.
35. Nyi-zla-sangs-rgyas.
36. Khyer-grub.
37. Dvags-po.
38. Zhi-khro dgongs-pa-rang-grol.
39. Thugs-rje-chen-po-padma-zhi-khro.
40. sGam-po-gdar : sGom-po-gdar.
41. Nyi-zla-chos-rje.
42. Klu'i-rgyal-mtshan, de Cog-ro.
43. Dans : *Tibetan Tripitaka Peking Edition,* éd. D. T. Suzuki, Tokyo-Kyoto 1956, vol. 22, n° 760.5.
44. Khri-srong-lde-btsan (676-704 ap. J.-C.).
45. E. Dargyay, *The Rise of Esoteric Buddhism in Tibet,* Delhi 1977, p. 57.
46. rNying-ma-pa.
47. bKa'-brgyud-pa.
48. dGe-lugs-pa.
49. Bon-po.
50. Bar-do-thos-grol-chen-mo.
51. Zhi-khro dgongs-pa rang-grol.
52. Kar-gling zhi-khro.

53. Zhi-khro bka'-'dus.
54. O-rgyan-glin-pa. Voir Dargyay, *op. cit.*, p. 124.
55. Padma-brtsegs.
56. Yar-lung-shel-brag.
57. Voir le rôle important que ce maître a joué dans la formation de l'école des anciens au Tibet, dans E. Dargyay, *The Rise of Esoteric Buddhism in Tibet.* Delhi 1977, p. 18 et suiv.
58. W. Y. Evans-Wentz, *The Tibetan Book of the Dead.* London 1927.
59. G. Tucci, *Il Libro Tibetano dei Morti (Bardo Tödol),* Milano 1949, 2e éd. Torino 1972.
60. F. Fremantle and Chögyam Trungpa, *The Tibetan Book of the Dead.* Berkeley 1975.
61. *A Standard System of Tibetan Transcription.* Harvard Journal of Asiatic Studies 22, 1959, p. 261-267.

Notes du chapitre « Le Bardo-Thödol et sa signification dans la vie religieuse », par Gesche Lobsang Dargyay

1. Tibétain « bka'-ma ».
2. Tibétain « gter-ma ».
3. Tibétain « 'pho-ba ».
4. Tibétain « rigs-Lnga ».
5. Titre original : « *man-ngag snying-gi dgongs-pa rgyal-ba'i bka' zhes-pa'i rgyud* », p. 345. Extrait de l'œuvre : « rNying-ma'i rgyud-'bum », vol. IV.
6. Titre original : « *Rin-po-che'i phags-lam-bkod-pa'i rgyud* », p. 170, dans « *rNying-ma'i rgyud-'bum.* » vol. IV.
7. Titre original : *'Pho-ba-dran-pa-rang-grol.*
8. Sanskrit « abhiseka », tibétain « dbang-bskur ».
9. Tibétain « sku-gsum ».
10. Concept tibétain correspondant à rab chos-sku lta-ba rgyas-'debs-kyi'pho-ba.
11. Sanskrit « dharmadhatu », tibétain « chos-dbyings ».
12. Concept tibétain correspondant à : 'bring longs-sku bskyed-rdzogs zung-'jug-gi'pho-ba.
13. Concept tibétain correspondant à : tha-ma sprul-sku'du-shes gsum-ldan-gyi'pho-ba.
14. Ce Traité fait partie de l'œuvre en 2 vol. « *sNying-thig pod-gnyis* » de l'imprimé tibétain « gNas-chung Grva-tshang ». Titre original : « *klong-chen-snying-thig-le-las : 'pho-ba ma-bsgoms sangs-rgyas,* p. 1, 4 et suiv. 'Jigs-med-gling-pa en est l'auteur.

15. Titre original : *mGon-po'od-dpag-med-la brten-pa'i pho-khrid,* p. 354-369, contenu dans : « *The Collected Works of Gung-thang dKom-mchog-bstan-pa'i-sgron-me* (G.S.M.G.S., vol. 38) éd. N. Gelek Demo, New Delhi, 1975.

16. Titre sanscrit : *Arya-amitābha-vyūha-nāma-mahāyāna-sūtra.* Titre tibétain : *Phags-pa'od-dptag-med-kyi bkod-pa shes-bya-ba theg-pa-chen-po'i mdo,* dans *Tibetan Tripitaka,* Peking Edition. Reprint Tokyo-Kyoto 1956, vol. 22, p. 110-126.

17. Tibétain 'og-min.

Notes de la traduction du « Livre des Morts tibétain »

1. Zab-chos zhi-khro dgongs-pa rang-grol-las/chos-nyid bar-do'i gsol-'debs thos-grol-chen-mo bzhugs-so//.
2. 'Pho-ba-dran-pa-rang-grol.
3. Chi-ltas-mtshan-ma-rang-grol.
4. Bar-do'i smon-lam 'jigs-skyobs.
5. Bar-do'i'phrang-sgrol.
6. Bar-do'i rtsa-tshig.
7. Tibétain « rnam-shes-kyi phung-po ».
8. Thos-grol-chen-mo.
9. Sanskrit « prāna », tibétain « rlung ».
10. Le corps allongé sur le côté droit, le bras droit légèrement replié sous la joue. Les jambes tendues, éventuellement légèrement pliées : c'est la position dans laquelle dorment les moines bouddhistes. C'est dans cet état que le Bouddha quitte la terre et passe dans le Nirvāna parfait.
11. Ce passage en tibétain est difficile à comprendre. La traduction est établie en fonction des explications de Gesche Lobsang Dargyay. Mais il n'a jamais pu observer au Tibet un lama appliquant cette compression des artères.
12. Sanskrit « bodhicitta », tibétain « sems-bskyed ».
13. Sanskrit « mahamudra », tibétain « phyag-rgya-chen-mo ». Disons en simplifiant que cette expression signifie que l'absence d'un moi, le caractère périssable et la souffrance sont empreints comme un sceau sur tous les phénomènes du monde.
14. Titre académique comparable à celui de « docteur en théologie » ; en tibétain « dge-bshes ».
15. Tibétain « ngo-bo ».
16. Bouddha féminin qui réalise la plus haute forme de réalité.
17. Tibétain « sangs-rgyas-kyi dgongs-pa ». Le concept « contemplation » est pris ici en quelque sorte dans le sens heideggerien de « rester sans cesse concentré auprès de ». Ce qui donne une certaine idée de cette bouddhéité increéée.

18. Tibétain « rdzogs-rim ».
19. Tibétain « bskyed-rim ».
20. Tibétain « yi-dam ».
21. Tibétain « sgyu-lus » ; corps non matériel qui procède d'une sublimation des constituants du corps, lors de la mort, et qui assure la continuité spirituelle entre les existences successives.
22. Tibétain « yid-kyi-lus ».
23. Chos-nyid bar-do'i ngo-sprod chen-mo.
24. Seuls les 1, 4, 5 et 6e états intermédiaires interviennent après la mort. Le 1er décrit la phase embryonnaire. Le 4e correspond à celui décrit dans la 1re partie et le 5e est celui dont parle précisément notre texte. Le 6e est celui du devenir dont il sera parlé dans la IIIe partie. Le mot « dépendance » fait allusion à la conception, qui se réalise dans la dépendance à cause des facteurs de la naissance (pratītyasamutpāda).
25. Tibétain « yid-kyi-lus ».
26. Tibétain « 'khor-ba, samsāra ».
27. Ru-log. Ne se trouve pas dans les dictionnaires. Est traduit en fonction des explications de rNying-ma-pa et de bKa'-brgyud-pa.
28. Tibétain « thig-le-bdal-ba ».
29. Tibétain « yum ».
30. Tibétain « chos-kyi-dbyings-kyi ye-shes ».
31. Tibétain « rigs-drug » ; sanskrit « sadgati ». Ce sont les dieux, les dieux combattants, les humains, les animaux, les esprits assoiffés et les habitants des enfers.
32. Tibétain « 'ja-'od ».
33. Tibétain « stug-po-bkod-pa ».
34. Tibétain « longs-spyod-rdzogs-pa'i sangs-rgyas ».
35. Tibétain « mngon-par-dga'-ba ».
36. Tibétain « me-long lta-bu'i ye-shes ».
37. Tibétain « 'od-kyi klong ».
38. Tibétain « mnyam-pa-nyid-kyi ye-shes ».
39. Tibétain « byar-med ».
40. Tibétain « yi-dvags », sanskrit « preta ».
41. Tibétain « bde-ba-can », sanskrit « sukhāvatī ».
42. Tibétain « so-sor rtogs-pa'i ye-shes ».
43. Tibétain « rab-brtsegs-pa » pour « las-rab-rdzogs-pa », comme à la fin de ce paragraphe.
44. Tibétain « bya-ba-grub-pa'i ye-shes ».
45. Tibétain « rab-rdzogs-pa » variante pour « rab-brtsegs-pa » et « las-rab-rdzogs-pa ».
46. Sanskrit « pañcatathāgata ».
47. Tibétain « rigs-lnga yab-yum ».
48. Tibétain « thig-le-brdal-ba ».
49. Tibétain « mngon-par-dga'-ba ».
50. Tibétain « dpal-ldan-pa ».
51. Tibétain « bde-ba can ».

52. Tibétain « las-rab-rdzogs-pa ».
53. Littéralement : dans les quatre directions du ciel et au milieu du cœur.
54. Tibétain « cha-'dzin-pa = dgang-po », Chos-grags Dictionnaire.
55. Tibétain « chos-kyi-dbyings-kyi ye-shes ».
56. Littéralement : qui n'ont ni centre ni limites.
57. Tibétain « me-long-lta-bu'i ye-shes ».
58. Tibétain « mnyam-pa-nyid-kyi ye-shes ».
59. Tibétain « so-sor-rtogs-pa'i ye-shes ».
60. Tibétain « bya-ba grub-pa'i ye-shes ».
61. Tibétain « rig-pa'i ye-shes ».
62. Tibétain « rang-ngo shes-pa ».
63. Tibétain « rig-'dzin ».
64. Tibétain « dag-pa'i mkha'-spyod ».
65. Padma-gar-gyi-dbang-phyug.
66. Sa-la-gnas-pa.
67. Tshe-la-bdang-pa.
68. Tibétain « phyag-rgya-chen-po ».
69. Lhung-gi-grub-pa.
70. Tibétain « zhi-lpags = mi-lpags », Chos-grags Dictionnaire.
71. Tibétain « dag-pa lhan-cig-skyes-pa'i ye-shes ».
72. Tibétain « chos ».
73. Titre académique tibétain (tib dge-ba'i bshes-gnyen), correspondant à Docteur en théologie.
74. Thos-grol-chen-mo.
75. Tibétain « 'chi-kha'i bar-do ».
76. Tibétain « chos-nyid zhi-ba'i bar-do ».
77. Sanskrit « vinaya ».
78. Tibétain « gnyis-su-med-pa ».
79. Tibétain « bskyed ».
80. Tibétain « rdzogs ».
81. Thos-grol-chen-mo.
82. rdzogs-pa-chen-po.
83. Sanskrit « mahāmudrā », tibétain « phyag-rgya-chen-po ».
84. Tibétain « chos-nyid bar-do ».
85. Tibétain « srid-pa'i bar-do ».
86. Tibétain « sprul-sku ».
87. bTags-sgrol.
88. Il s'agit ici d'un objet culturel ayant la forme d'une pyramide à marches circulaires, image reproduisant le cosmos. Il n'est pas question ici du diagramme religieux désigné sous le même nom.
89. Tibétain « Khro-bo'i bar-do ».
90. Le texte tibétain utilise ici le mot étranger : bhāndha.
91. Sceptre tantrique portant trois crânes humains.
92. Phra-min-ma.
93. dBang-phyng-ma.

94. C'est-à-dire à l'état intermédiaire.
95. Phra-men-ma.
96. Phra-mo.
97. Evans-Wentz prend ici le concept tibétain « yul » pour une description des directions du ciel. Mais ces huit divinités sont également assimilées dans d'autres textes à l'espace et au temps, quoique les indications ne permettent pas d'interpréter clairement le sens implicite (Eva Neumaier : bka'-brgyad raṅ -byuṅ -ran-šar, ein rJogs-C'en Tantra, dans ZDMG 1970, p. 156).
98. Phag-gdong-ma.
99. Seng-gdong-ma.
100. sBrul-gdong-ma.
101. Tibétain « chos-ryid bar-do ».
102. Tibétain « yid-kyi-lus ».
103. Littéralement « il te manque le fondement nécessaire pour mourir », à savoir un corps.
104. Tibétain « dngos-su grub-pa med ».
105. Tibétain « chos-nyid ».
106. Om mani-padme hūm. La forme d'invocation d'Avalokites-'vara.
107. Sanskrit « samādhi ».
108. Tibétain « srid-pa bar-do ».
109. Tibétain « 'chi-ka'i bar-do ».
110. Tibétain « bskyed-rdzogs ».
111. Tibétain « chos-nyid bar-do ».
112. Tibétain « mtshan-med-pa ». Ceux qui ont tué leur père ou leur mère, qui ont tué ou blessé un bouddha, qui ont tué un Arhat, ou ceux qui ont une scission avec le Sangha.
113. La phrase suivante ne se trouve pas dans la nouvelle impression indienne.
113*a*. Karma-gling-pa ; sGam-po-gdar ; gSer-Idan.
114. Tibétain « srid-pa bar-do ».
115. Tibétain « sngon-'byung srid-pa'i sha-gzugs-can ».
116. Zab-chos zhi-khro dgongs-pa rang-grol.
117. Thos-grol-chen-mo.
118. Tibétain « rdzus-skyes ».
119. Tibétain « 'dzin-med byar-med ».
120. Tibétain « nyon-mongs ».
121. Tibétain « sgom-med byar-med ».
122. Sanskrit « mahāmudrā ».
123. Tibétain « lha ».
124. Tibétain « 'dre ».
125. Les deux éditions donnent ici « ching » : lier, attacher, que je voudrais corriger par « 'chi » : mourir.
126. Tibétain « mtshang-ma-med ».
127. Sanskrit « dharmakāya », tibétain « chos-sku ».
128. Tibétain « ngo-bo-nyid-kyi sku ».

129. Tibétain « sprul-pa'i sku ».
130. Tibétain « sku bzhi ».
131. Ceci est entièrement basé sur le 24e chapitre du *Saddharma-pundarika-sūtra* (sacred Books of the East. Éd. par Max Müller, vol. XXI : The Saddharma-Pundarīka or the Lotus of the True Law. Translated by H. Kern. Delhi 1968, p. 406 et suiv.).
132. Tibétain « bymas-pa sgoms ».
133. Tibétain « sgyu-lus ».
134. Tibétain « Spros-bral ».
135. Bar-do rtsa-tshig.
136. Tibétain « rug-log ». Ce concept n'existe pas dans les dictionnaires. Notre traducteur essaie de saisir ce concept selon son utilisation dans les écrits de l'école des rNying-ma-pa et selon les éclaircissements des bKa'brgyud-pa.
137. Bar-do-thos-grol.
138. Tibétain « Ihan-cig skies-pa'i dga' ».
139. Bar-do thos-grol chen-mo.
140. Sanskrit « samskāra ».
141. Tibétain « yid-lus ».
142. Sanskrit « mahāmudrā ».
143. Sanskrit « sukhāvatī ».
144. Tibétain « rnam-par-dag-pa ».
145. Tibétain « mngon-par-dga'-ba ».
146. Tibétain « stug-po-bkod-pa ».
147. Tibétain « lcang-lo-can-ma ».
148. Tibétain « ri-bo-ta-la ».
149. Tibétain « padma-'od-kyi-gzhal-yas ».
150. Sanscrit « cakravartin ».
151. Sanskrit « abhiseka ».
152. Bar-do'i smon-lam'jigs-skyobs.
153. Bar-do'i rtsa-tshig.
154. Bar-do'i phrang-sgrol.
155. br Tags-sgrol.
156. Phung-po rang-grol.
157. Chos-spyod bag-chags ráng-grol.
158. Tibétain « Dge-ba'i bshes-gnyen ».
159. Bar-do thos-grol chen-mo.
160. Tibétain « gterma » ; sGom po gdar.

Glossaire

Ce bref glossaire est destiné à ceux qui ne sont pas encore familiarisés avec les concepts clefs de la pensée bouddhique. Ces définitions sont donc très générales.

Boddhisattva :

Ayant éveillé sa conscience spirituelle et ayant atteint la parfaite illumination, il est un être montrant à tous les autres êtres le chemin de la libération de la souffrance.

Bouddha :

Tout Éveil, tout Épanouissement. Le Très-Haut qui a atteint la Suprême Illumination au-delà de la souffrance et de l'ignorance. Le Bouddha est passé de l'existence des phénomènes à l'existence véritable de l'incréé et, par là, est devenu identique à la vérité et à la réalité. On distingue le Bouddha de notre ère, Gautama, de la maison princière des Sakya, qui a vécu en Inde au milieu du Ier millénaire av. J.-C., des autres Bouddhas des époques précédentes et ultérieures. Comme le Bouddha *est* la pure nature spirituelle, la conscience universelle et qu'il *est* la réalité, toutes les images et toutes les représentations sont insuffisantes et cependant elles indiquent ce qu'est cette conscience universelle. Mais le Bouddha n'est ni un Dieu, ni un créateur, ni un sauveur. Bien au contraire, avant son illumination, il était un être comme tous les autres êtres. La Bouddhéité parfaite est donc le but de tous les êtres.

Dharma :

C'est l'enseignement du Bouddha mais c'est également la Vérité en Soi puisque le Bouddha enseigne la suprême réalité, celle de son être propre Ainsi l'aspect personnel du Dharma est l être propre du Bouddha, le Dharmakaya

Karma :

Ce concept exprime tout d'abord tout acte, puis également la somme de toutes les tendances qui habitent un acte, une pensée ou une parole, c'est-à-dire une certaine force qui détermine le destin de l'être humain et de tous les êtres vivants

Lama :

Maître spirituel dans le bouddhisme tibétain Il est, pour le disciple, identique au Bouddha puisqu'il transmet le Dharma. Bouddha et Lama sont la source du Dharma. Il est donc souhaitable que l'élève mette le Lama au même rang de dévotion et de confiance que le Bouddha.

Mahayana :

dit « le grand véhicule ». Réunit tous les êtres dans la voie de la libération et de la réalisation. L'image-guide du Mahayana est le Boddhisattva. La compassion pour tous les êtres et la ferme intention de leur indiquer le chemin de la libération de la souffrance est la motivation de leur conduite spirituelle. Le but du Mahayana est de rendre tous les êtres conscients de la conscience spirituelle qui habite chacun, et par là de devenir bouddha.

Sangha :

Communauté de ceux qui suivent le Dharma et qui prennent refuge dans le Bouddha. Concrètement et dans un sens plus restreint, ce concept désigne les moines et les nonnes du Bouddha.

Sutra :

Enseignements du Bouddha qui s'adressent à tous ceux qui suivent l'idéal du Boddhisattva. La tradition veut que ces sutras soient les paroles authentiques du Bouddha.

Tantra :

Enseignements du Bouddha ne s'adressant qu'à des auditeurs capables d'atteindre une connaissance particulièrement approfondie. Ils consistent en l'application de divers symboles et rituels qui permettent la métamorphose des phénomènes impurs de la nature en nature indestructible, pure comme le diamant, celle de la conscience universelle. Tous les rituels tantriques et les méditations servent à exercer et à réaliser cette union mystique.

Yi-dam :

Forces archétypes qui peuvent être visualisées au cours du cheminement spirituel. Ces visualisations apparaissent sous la forme de divinités indo-tibétaines et souvent dans des attitudes terrifiantes. Le Yi-dam est donc une apparition divine des forces archétypes qui représentent, non pas le développement spirituel actuel de l'individu, mais les phases finales de son développement spirituel. Ces forces sont en quelque sorte une instruction préparatoire. Les Yi-dam ne sont absolument pas à considérer comme des dieux. Lors d'initiations autorisées, le Lama aide l'élève à prendre conscience de son propre Yi-dam

Table

« *Spiritualités vivantes* »
Collection fondée par Jean Herbert

au format de poche

1. *La Bhagavad-Gitâ,* par Shrî AUROBINDO.
2. *Le Guide du Yoga,* par Shrî AUROBINDO.
3. *Les Yogas pratiques (Karma, Bhakti, Râja),* par Swâmi VIVEKANANDA.
4. *La Pratique de la méditation,* par Swâmi SIVANANDA SARASVATI.
5. *Lettres à l'Ashram,* par GANDHI.
6. *Sâdhonâ,* par Rabindranâth TAGORE.
7. *Trois Upanishads (Iskâ, Kena, Mundaka),* par Shrî AUROBINDO.
8. *Spiritualité hindoue,* par Jean HERBERT.
9. *Essais sur le Bouddhisme Zen,* première série, par Daisetz Teitaro SUSUKI.
10. — *Id.,* deuxième série.
11. — *Id.,* troisième série.
12. *Inána-Yoga,* par Swâmi VIVEKANANDA.
13. *L'Enseignement de Râmakrishna,* par Jean HERBERT.
14. *La Vie divine,* tome I, par Shrî AUROBINDO.
15. — *Id.,* tome II.
16. — *Id.,* tome III.
17. — *Id.,* tome IV.
18. *Carnet de pèlerinage,* par Swâmi RAMDAS.
19. *La Sagesse des Prophètes,* par Muhyi-d-dîn IBN 'ARABÎ.
20. *Le Chemin des Nuages blancs,* par ANAGARIKA GOVINDA.
21. *Les Fondements de la mystique tibétaine,* par ANAGARIKA GOVINDA.
22. *De la Grèce à l'Inde,* par Shrî AUROBINDO.
23. *La Mythologie hindoue, son message,* par Jean HERBERT.
24. *L'Enseignement de Mâ travda Mayî,* traduit par Josette HERBERT.

Nouvelles séries dirigées par
Marc de Smedt

25. *La Pratique du Zen,* par Taisen DESHIMARU.
26. *Bardo-Thôdol. Le Livre tibétain des morts,* présenté par Lama ANAGARIKA GOVINDA.

27. *Macumba. Forces noires du Brésil,* par Serge BRAMLY.
28. *Carlos Castaneda. Ombres et lumières,* présenté par Daniel C. NOËL.
29. *Ashrams. Les Grands Maîtres de l'Inde,* par Arnaud DESJARDINS.
30. *L'Aube du Tantra,* par Chogyam TRUNGPA.
31. *Yi King,* adapté par Sam REIFLER.
32. *La Voie de la perfection,* par BAHRÂM ELÂHI.
33. *Le Fou divin,* traduit par Dominique DUSSAUSSOY.
34. *Santana,* par Dominique GODRÈCHE.
35. *Dialogues avec Lanza del Vasto,* par René DOUMERC.
36. *Techniques de méditation,* par Marc DE SMEDT.
37. *Le livre des secrets,* par Bhagwan Shree RAJNEESH.
38. *Zen et arts martiaux,* par Taisen DESHIMARU.
39. *Traité des cinq roues,* Miyamoto MUSASHI.

Achevé d'imprimer en juin 1983
sur les presses de l'Imprimerie Bussière
à Saint-Amand (Cher)

AM

— N° d'édit. 8005. — N° d'imp. 1404. —
Dépôt légal : Août 1983.

Imprimé en France